Formación Cívica y Ética

Tercer grado

SEP

SECRETARÍA DE
EDUCACIÓN PÚBLICA

Esta edición de *Formación Cívica y Ética. Tercer grado* fue desarrollada por la Dirección General de Materiales Educativos (DGME) de la Subsecretaría de Educación Básica, Secretaría de Educación Pública.

Secretaría de Educación Pública
Alonso Lujambio Irazábal

Subsecretaría de Educación Básica
José Fernando González Sánchez

Dirección General de Materiales Educativos
María Edith Bernáldez Reyes

Coordinación técnico-pedagógica
Dirección de Desarrollo e Innovación de Materiales Educativos, DGME/SEP
María Cristina Martínez Mercado, Ana Lilia Romero Vázquez

Coordinación académica
Universidad Nacional Autónoma de México:
Lilian Álvarez Arellano

Autores
Universidad Nacional Autónoma de México:
Lilian Álvarez Arellano, Patricia Ávila Díaz, Bulmaro Reyes Coria
Universidad Pedagógica Nacional: Valentina Cantón Arjona, Adriana Corona Vargas
Escuela Normal Superior de México:
María Esther Juárez Herrera
Universidad del Valle del México:
Norma Romero Irene

Asesoría
Instituto de Investigaciones Filológicas, UNAM: Rubén Bonifaz Nuño

Corrección de estilo
Instituto de Investigaciones Filológicas/UNAM: Jesús Gómez Morán

Revisión pedagógica
Ana Hilda Sánchez Díaz, Leticia Araceli Martínez Zárate, Ana Cecilia Durán Pacheco, Ángela Quiroga Quiroga

Coordinación editorial
Dirección Editorial, DGME/SEP
Elena Ortiz Hernán Pupareli, Alejandro Portilla de Buen, Rosa María Oliver Villanueva, Isabel Galindo Carrillo

Investigación iconográfica
Claudia C. Lasso Jiménez, Laura Raquel Montero Segura, Irene León Coxtinica

Portada
Diseño de colección: Carlos Palleiro
Ilustración de portada: Ericka Martínez

Primera edición, 2008
Tercera edición, 2010
Primera reimpresión, 2011 (ciclo escolar 2011-2012)

D.R. © Secretaría de Educación Pública, 2008
   Argentina 28, Centro,
   06020, México, D.F.

ISBN: 978-607-469-399-7

Impreso en México
DISTRIBUCIÓN GRATUITA-PROHIBIDA SU VENTA

Servicios editoriales
Stega Diseño, S.C.

Diseño gráfico
Moisés Fierro Campos, Juan Antonio García Trejo, Paola Stephens Díaz

Ilustraciones
Marissa Arroyo (pp. 20, 21, 60, 61, 80, 81, 101), Julián Cicero Olivares (pp. 40, 41), Carmen Gutiérrez (pp. 22, 23, 24, 25, 26, 42, 43, 44, 45, 46, 62, 63, 64, 65, 66, 82, 83, 84, 85, 86, 87, 88, 102, 103, 104, 105, 106), Rocío Padilla (pp. 8-9, 28-29, 48-49, 68-69, 50, 51, 52, 53, 54, 55, 90-91). *Idea original de las ilustraciones*: Alex Echeverría (pp. 20, 60, 61, 80).

Obra plástica
José Luis Cuevas (p. 39), Artemio Rodríguez (pp.18-19, 36, 76)

Apoyo institucional
Centro de Investigación para el Desarrollo, A.C.; El Colegio de México; Comisión de Derechos Humanos del Distrito Federal; Comisión Nacional del Deporte; Comisión Nacional para el Desarrollo de los Pueblos Indígenas; Comisión Nacional para Prevenir la Discriminación; Confederación de Cámaras Industriales, Comisión de Educación; Congreso de la Unión, Cámara de Diputados, Comisión de Educación Pública y Servicios Educativos; Ejército y Fuerza Aérea; Universidad del Ejército y Fuerza Aérea; Fundación Ahora, A. C.; Iniciativa Ciudadana para el Diálogo Democrático; Instituto Electoral del Distrito Federal; Instituto Federal de Acceso a la Información; Instituto Federal Electoral, Dirección Ejecutiva de Capacitación Electoral y Educación Cívica; Instituto Mexicano de la Juventud; Instituto Nacional de Antropología e Historia, Dirección de Museos y Laboratorio de Geofísica; Instituto Nacional del Derecho de Autor; Instituto Nacional de las Mujeres; Instituto Nacional de Lenguas Indígenas; Mexicanos Primero; México Unido contra la Delincuencia; Navega Protegido en Internet; Secretaría de Educación Pública, Coordinación General de Educación Intercultural Bilingüe, Dirección de Relaciones Internacionales, Escuela Segura y Unidad de Planeación y Evaluación de Políticas Educativas; Secretaría del Medio Ambiente y Recursos Naturales, Centro de Educación y Capacitación para el Desarrollo Sustentable; Servicios a la Juventud, A. C.; Sistema Nacional para el Desarrollo Integral de la Familia, Dirección General de Enlace Interinstitucional; Suprema Corte de Justicia de la Nación; Universidad Nacional Autónoma de México, Instituto de Investigaciones Filológicas, Instituto de Investigaciones Jurídicas; Secretaría de Gobernación, Dirección General de Cultura y Formación Cívica, Dirección General de Protección Civil; Secretaría de Marina, Dirección Geberal Adjunta de Educación Naval; Secretaría de Relaciones Exteriores, Archivo Histórico; Secretaría de Salud, Subsecretaría de Prevención y Promoción de la Salud; Secretaría del Trabajo y Previsión Social; Transparencia Mexicana; Fondo de las Naciones Unidas para la Infancia (UNICEF). Los conceptos jurídicos y de formación ciudadana se elaboraron en conjunción con el Instituto Federal Electoral y el Instituto de Investigaciones Jurídicas de la Universidad Nacional Autónoma de México; los relacionados con el cuidado de la salud y el desarrollo, con la Secretaría de Salud. El Centro de Educación y Capacitación para el Desarrollo Sustentable brindó las definiciones de su campo. El Instituto Federal Electoral desarrolló los contenidos de participación ciudadana y la glosa de la Constitución Política de los Estados Unidos Mexicanos.

Participaron los siguientes ciudadanos: Isidro Cisneros, Germán Dehesa, Enrique Krauze (El Colegio Nacional), Cecilia Loría Saviñón, Armando Manzanero, Eduardo Matos Moctezuma (El Colegio Nacional), Mario José Molina Henríquez (El Colegio Nacional), Carlos Monsiváis y Adolfo Sánchez Vázquez.

Agradecimientos
La SEP extiende un especial agradecimiento a la Universidad Pedagógica Nacional (UPN), por su participación en el desarrollo de esta edición.

Se agradece la atenta lectura de más de once mil maestras, maestros y autoridades educativas y sindicales, quienes participaron en las jornadas de exploración de material educativo de todo el país, y expresaron sus puntos de vista en la página web armada para ello. Asimismo, las revisiones y comentarios del Instituto Federal Electoral, de los miembros del Consejo Consultivo Interinstitucional para la Educación Básica y el constituido para revisar el diseño curricular del Programa Integral de Formación Cívica y Ética, así como la revisión de El Colegio de México.

Presentación

La Secretaría de Educación Pública, en el marco de la Reforma Integral de la Educación Básica, plantea una propuesta integrada de libros de texto desde un nuevo enfoque que hace énfasis en la participación de los alumnos para el desarrollo de las competencias básicas para la vida y el trabajo. Este enfoque incorpora como apoyo Tecnologías de la Información y Comunicación (TIC), materiales y equipamientos audiovisuales e informáticos que, junto con las bibliotecas de aula y escolares, enriquecen el conocimiento en las escuelas mexicanas.

Después de varias etapas, en este ciclo se consolida la Reforma en los seis grados y, en consecuencia, se presenta esta propuesta completa de los nuevos libros de texto, que abarca la totalidad de las asignaturas en todos los grados.

Este libro de texto incluye estrategias innovadoras para el trabajo escolar, demandando competencias docentes orientadas al aprovechamiento de distintas fuentes de información, el uso intensivo de la tecnología, la comprensión de las herramientas y de los lenguajes que niños y jóvenes utilizan en la sociedad del conocimiento. Al mismo tiempo, se busca que los estudiantes adquieran habilidades para aprender de manera autónoma, y que los padres de familia valoren y acompañen el cambio hacia la escuela mexicana del futuro.

Su elaboración es el resultado de una serie de acciones de colaboración, como la Alianza por la Calidad de la Educación, así como con múltiples actores entre los que destacan asociaciones de padres de familia, investigadores del campo de la educación, organismos evaluadores, maestros y expertos en diversas disciplinas. Todos han nutrido el contenido del libro desde distintas plataformas y a través de su experiencia. A ellos, la Secretaría de Educación Pública les extiende un sentido agradecimiento por el compromiso demostrado con cada niño residente en el territorio nacional y con aquellos que se encuentran fuera de él.

Secretaría de Educación Pública

Índice

Formación Cívica y Ética • Tercer grado

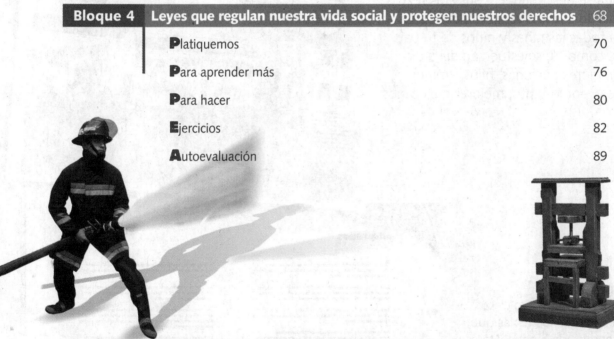

Conoce tu libro

Niña, niño:

En este libro de Formación Cívica y Ética
encontrarás varias lecturas y ejercicios que
impulsarán tu desarrollo individual
y como parte de la sociedad mexicana.
Se espera que te formes como persona sana,
alegre, íntegra, solidaria e interesada en la
construcción de un ambiente democrático y
participativo en el que los derechos de toda
persona sean respetados.
México espera que reconozcas y aprecies la
diversidad étnica y cultural de su población; que
al tiempo valores y cuides la variedad de recursos
naturales de nuestra tierra.
En las distintas secciones de tu libro, que
enseguida se describen, encontrarás textos
que han sido escritos especialmente para
ti y para todas las niñas y niños de tu país
quienes, como tú, se esfuerzan día a día
por ser mejores personas, hijos, amigos,
alumnos y, por lo tanto, mejores mexicanos.

Portada de bloque
Aquí se inicia cada bloque. Vas a encontrar
el título, que se refiere al tema que abordarás
con tus compañeros y compañeras.
En esta página se dice para qué te sirve el
contenido que vas a trabajar.

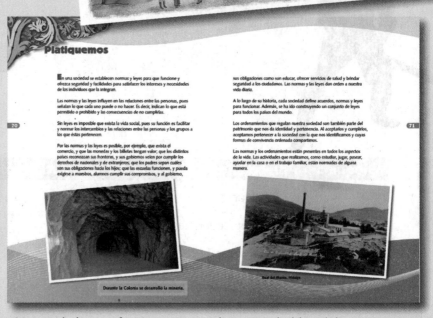

Platiquemos
De manera breve, pero clara,
aquí se explican los temas que
comprende cada bloque. No es
necesario leerlo todo a la vez,
sino de acuerdo con el avance
que vas logrando en el estudio de
los contenidos.

Cenefa
Mira y analiza las imágenes de la cenefa. Cuentan una historia y hablan del
patrimonio de todos. Sirven también para despertar tu interés en la investigación, y
para relacionar lo que aprendes en esta asignatura con otras del grado que cursas.

Para aprender más

Son muy diversos los textos que aquí encontrarás, desde un cuento hasta la explicación de cuáles instituciones públicas abordan temas cívicos y éticos.

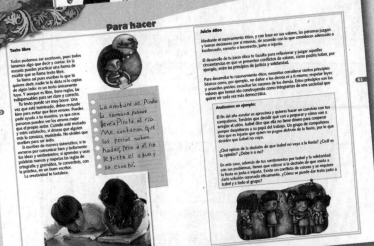

Para hacer

Es importante saber cómo realizar acciones con el grupo, y aprender a aprender, mediante distintos procedimientos.

Ejercicios

Por medio de ejercicios interesantes y divertidos podrás aprender, repasar y aplicar tus conocimientos.

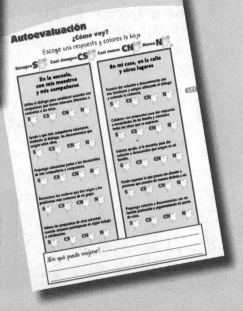

Autoevaluación

Lo que aprendiste te ha ayudado a modificar y a mejorar tu comportamiento. Evaluarte a ti mismo te ayudará a fijarte nuevas metas y avanzar en tu formación.

Niñas y niños cuidadosos, precavidos y protegidos

Con el aprendizaje y la práctica podrás:
• Identificar sitios o actos que pongan en peligro tu salud, y aprender a cuidarte.
• Reconocer algunos rasgos físicos, sociales y culturales que compartes con las personas de los grupos a los cuales perteneces.

Platiquemos

Seguramente, tú y tus compañeras y compañeros de clase tienen varias características en común. Su edad, la escuela a la que asisten y el lugar donde viven les dan rasgos semejantes. Así, es probable que les guste jugar juntos, que conozcan las mismas canciones y hablen un mismo idioma.

También es seguro que cada uno de ustedes tiene características que le son propias. Puede ser, por ejemplo, algún platillo que les guste comer, un juguete o libro favorito, o algún rasgo físico.

Lo mismo sucederá si comparas tus características individuales con las de las personas que componen otros grupos de los que formas parte, como tu familia o escuela. Piénsalo y verás que hay rasgos que tienes en común y otros que sólo tú posees.

Hospital de Jesús, escalera doble claustral, ejemplo arquitectónico muy avanzado para principios del siglo XVI

El derecho a la salud es fundamental para el desarrollo físico, emocional y social de las personas.
Durante la Colonia, periodo que estudias en la cenefa de este libro, se crearon instituciones de salud que son antecedentes de las que hoy te protegen.

Las características de cada persona le dan identidad. Valóralas y respétalas a todas. Esto te llevaría a tratar a tus compañeros y tus compañeras de modo que nadie sea excluido de los juegos y las actividades escolares. Si cada uno respeta e incluye a los demás, nadie se sentirá mal ni quedará fuera de la vida escolar.

Cada persona pertenece a distintos grupos. Sea la familia, el grupo de amigos o la escuela. Los grupos ayudan a las personas que los forman a sentirse unidas a otras que las conocen, aceptan, ayudan y protegen. El cariño y la unión son muy importantes para todos los seres humanos.

Para ser parte de un grupo, no es necesario ser idéntico a cada uno de los otros, sino respetar las normas de vida en común. Las características y diferencias de cada uno hacen más interesante compartir juegos, aprendizajes y labores.

Hospital de Jesús, patio interior

El Hospital de Jesús, primero en ser construido en México en 1524, todavía está en funciones en el centro de la capital de la República.

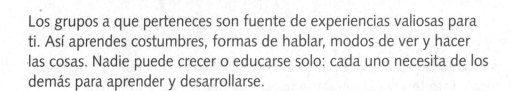

Los grupos a que perteneces son fuente de experiencias valiosas para ti. Así aprendes costumbres, formas de hablar, modos de ver y hacer las cosas. Nadie puede crecer o educarse solo: cada uno necesita de los demás para aprender y desarrollarse.

En tu familia recibes cariño, valores y protección; en la escuela, respeto, orientación y compañerismo. Así, en cada grupo cubres necesidades distintas y ejerces tus derechos.

Cuidarte y procurar tu buen desarrollo es obligación no sólo de tu familia y de tu escuela sino de la sociedad.

Para protegerte, la ley prohíbe que los adultos maltraten a los niños y las niñas. Nadie puede golpearte o insultarte, pues estas acciones ponen en peligro tu integridad.

Hospital de San Juan de Dios, actualmente Museo Franz Mayer

Los hospitales de San Lázaro, San Hipólito y San Juan de Dios, creados entre 1552 y 1582, atendían a enfermos, leprosos y desamparados, respectivamente.

Aprende a conseguir lo que necesitas y a resolver los problemas que tengas con los demás mediante el diálogo, y a dar y exigir respeto.

Toma en cuenta que cuidarte no sólo implica comer bien, hacer ejercicio, dormir, descansar y seguir normas de higiene sino también poner atención a las señales de tu cuerpo. Avisa siempre a una persona mayor si sientes dolor, frío o algún malestar; también si te das un golpe en la cabeza, o dejas de oír o ver bien.

Comprender cómo funciona el cuerpo humano te ayuda a entender cómo cuidar tu salud y la de los demás. El cuerpo es un sistema ordenado y en movimiento, cuyas partes cumplen distintas funciones como la respiratoria, digestiva, circulatoria y locomotora.

Hospital de San Juan de Dios, interior

Cualquier problema de salud que tengas se resolverá mejor si se atiende a tiempo. Para cuidar la salud evita acciones que la pongan en riesgo y lleva a cabo las que la promueven. Por ejemplo, las vacunas te cuidan contra enfermedades peligrosas y el ejercicio fortalece tu cuerpo. En cambio, jugar con cohetes es muy peligroso y comer demasiada azúcar te perjudica.

Al conocerte mejor, entenderás que todas las personas tienen características físicas y mentales que les facilitan desempeñarse en alguna actividad, y les dificulta otras. Todos podemos esforzarnos y mejorar en aquello que nos cuesta más trabajo, y ayudar a otros en lo que podemos hacer mejor. Ayudarnos unos a otros nos da un ambiente solidario.

Es importante comprender qué riesgos hay en las actividades que realizas todos los días, y así evitarlos. Por ejemplo, si vas a preparar alimentos, deberás conocer los riesgos del gas y del fuego, así como la necesidad

En 1750 se fundó, para pobres y desamparados, el Hospital de Terceros en la Ciudad de México.

de tomar medidas de higiene, y de combinar alimentos. Si regresas de la escuela sin una persona adulta que te acompañe, deberás conocer las rutas más seguras.

Tal vez algunas acciones que realices no te pongan en riesgo inmediato, pero deterioran el ambiente o la vida social, y a la larga te dañan. Son ejemplos de estas acciones tirar basura, contar mentiras, desperdiciar el agua o dañar bienes colectivos, como teléfonos públicos o libros de una biblioteca.

El trato respetuoso en los diferentes grupos de los que formas parte mantiene un clima en que pueden ejercerse los derechos de todos. Esto te ayudará a vivir mejor y contribuirá a que la vida en nuestro país sea más justa.

Éste es el hospital e iglesia de San Hipólito, en un grabado antiguo y como se ve hoy.

¿Qué hospitales antiguos se conservan en tu entidad federativa?
¿Cuál es la clínica de salud más cercana a tu domicilio?

La salud

La salud es un medio para la realización personal y colectiva. En el concepto de salud se relacionan lo biológico y lo social, el individuo y la comunidad, lo público y lo privado, el conocimiento y la acción.

La salud es un indicador del bienestar y la calidad de vida de una comunidad.

La salud y la enfermedad no son fijas ni estáticas. Por el contrario, están cambiando constantemente en estrecha relación.

Secretaría de Salud

Consumo de agua

El agua es necesaria para la vida de las personas, las plantas y los animales. Sin ella no podríamos vivir. Por eso debemos cuidarla y evitar que se contamine.

Cuando tomamos agua sucia, contaminada, nos enfermamos, porque a través de ella ingerimos microbios, parásitos y bacterias que causan muchas enfermedades, por eso debemos tomar siempre agua hervida o desinfectada.

Di a tus padres cómo desinfectarla:

1. Hervir el agua
   - Mantener hirviendo el agua por tres minutos.
   - Dejarla reposar por media hora.
   - Mantenerla tapada y no meter trastos sucios en ella al usarla.

2. Clorar el agua
   - Agregar dos gotas de cloro casero a cada litro de agua.
   - Dejarla reposar por media hora.
   - Mantenerla tapada y no meter trastos sucios en ella al usarla.

También tu familia puede usar los productos que se venden en las tiendas para desinfectar el agua. Es conveniente que lean y sigan las instrucciones de la etiqueta.

Secretaría de Salud

Influenza A(H1N1)

¿Sabías que el virus de la influenza A(H1N1) sobrevive hasta 3 horas en las manos y 72 en superficies lisas contaminadas por saliva de alguna persona infectada?

El virus de la influenza A(H1N1) se transmite a través de gotas de saliva que pasan de una persona a otra de distintas maneras:

- Al estornudar, toser o hablar hasta a un metro y medio de distancia.
- Si se comparten utensilios o alimentos.
- Al saludar de mano, de beso o abrazo.

Por ello, las medidas preventivas que se recomiendan son:

1. Lavarse las manos con agua y jabón, al llegar de la calle, después de tocar áreas de uso común, después de ir al baño y antes de comer.
2. Cubrirse la nariz y boca con un pañuelo desechable al toser o estornudar, tirarlo a la basura y lavarse las manos.
3. Nunca escupir en el suelo, pues de hacerlo el virus queda en el ambiente.
4. Mantener limpia la casa, escuela y centros de reunión. Ventilarlos y permitir la entrada del sol.
5. Lavar con frecuencia (de preferencia después de cada uso) bufandas, guantes, abrigos, rebozos, suéteres, chamarras, etcétera.
6. Evitar tocarse nariz, boca y ojos con las manos sucias.
7. Reposar en casa cuando se tienen enfermedades respiratorias.
8. Acudir al médico si se tienen alguno de los siguientes síntomas:
   - Fiebre mayor a 38°
   - Dolor de cabeza
   - Dolor de garganta
   - Escurrimiento nasal

Secretaría de Salud

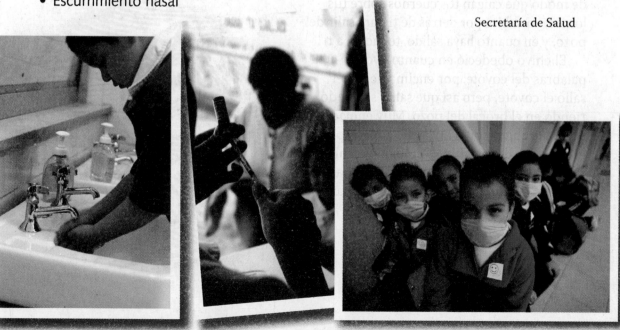

Las fábulas de Esopo en idioma mexicano

Las fábulas de Esopo llegaron a México durante los primeros años de la Colonia. Los estudiantes indígenas del Colegio de Santa Cruz de Tlatelolco aprendieron latín, griego y español y le enseñaron náhuatl a los frailes. Muy probablemente, el primer libro de texto de la época colonial haya sido el manuscrito que contenía fábulas de Esopo en idioma mexicano, o náhuatl. Las fábulas enseñaban a los alumnos del Colegio a reflexionar y a tener cuidado de sí mismos. Se conservan en un manuscrito en la Biblioteca Nacional. Fueron traducidas al español por Salvador Díaz Cíntora. Se reproducen para ti con permiso de la Universidad Nacional Autónoma de México.

El chivo y el coyote

El chivo y el coyote, una vez que tenían sed, saltaron a un pozo cada cual por su lado; cuando se saciaron de agua miraba el chivo a todas partes buscando por dónde saldrían. Pero el coyote le dijo: "No te preocupes, ya vi lo que hemos de hacer para salir; si te paras de manos, poniéndolas contra la pared, de modo que caigan tus cuernos sobre tus lomos, yo subiré por detrás de ti para salir del pozo, y en cuanto haya salido, te sacaré a ti".

El chivo obedeció en cuanto oyó las palabras del coyote; por encima de aquél salió el coyote, pero así que salió, se quedó riendo en el brocal del pozo. Muy enojado estaba el chivo por la burla del coyote, pero el coyote le dijo al chivo: "Si tuvieras, mi amigo, tanto seso como barbas traes, habrías buscado por dónde salir antes de brincar al pozo".

Con esta fábula aprendemos que hay que pensar bien lo que intentamos hacer, para no caer luego en la imprudencia y la tontería.

Fábulas de Esopo en idioma mexicano

El coyote y el puma

Un coyote no había visto jamás al puma, y una vez, sin pensarlo, se encontró con el puma; el coyote se espantó mucho y se desmayó; la segunda vez que se encontró con él, si bien se espantó, ya no fue tanto; la tercera vez ya se hizo fuerte, se le acercó y habló con él.

Esta fábula nos enseña que todo sermón elevado, cuando apenas lo oímos, lo entendemos muy difícilmente, pero oyéndolo muchas veces, con ello vamos aprendiendo poco a poco a entenderlo bien.

Fábulas de Esopo en idioma mexicano

Las ranas

Dos ranas vivían en un estanque, y cuando el estanque se secó en el verano, salieron en seguida a buscar un lugar donde vivir bien en el agua; en su carrera llegaron a un pozo, lo vieron profundo; inmediatamente dijo una de las ranas:

"Es un buen lugar, vivamos aquí".

Pero la otra rana respondió: "Buen lugar es este pozo, pero si también se seca, ¿cómo saldremos luego?".

En esta fábula aprendemos que no hay que empezar nada importante sin consideración, sino que es necesario que lo pensemos bien antes.

Fábulas de Esopo en idioma mexicano

Diccionario

Para ampliar tu vocabulario y así comprender mejor los textos que lees, es útil consultar un diccionario. Ahí encontrarás el significado de la palabra que buscas.

En un diccionario las palabras se buscan en orden alfabético. Una palabra puede tener varios significados. En el diccionario se indican primero los significados más frecuentes según el uso de la palabra en nuestra lengua, y luego se indican las siguientes.

Hacer un diccionario es tarea de las personas dedicadas a la lexicografía. Buscan en fuentes escritas y en el uso vivo de una lengua para registrar el empleo de cada palabra y dar una descripción lo más exacta posible de cada una. Hacer el diccionario de una lengua es trabajo de muchos años.

Tú puedes hacer un fichero para recoger las palabras nuevas que vayas aprendiendo. Poco a poco irás comprendiendo todos sus significados, su utilización correcta, los usos coloquial y técnico de cada palabra, así como su origen.

Agrega fichas continuamente, y modifica las que tengas. Este trabajo puedes realizarlo en grupo, y así es mucho más confiable, pues el lenguaje es un fenómeno social. Lo adquirimos haciendo uso de él en los grupos en que convivimos, y tenemos mayor competencia comunicativa si somos cada vez más precisos.

Procura utilizar las nuevas palabras en tus escritos y en tus conversaciones, verás que tendrán mayor riqueza. Tus maestros y familia te guiarán en el uso correcto de estas nuevas herramientas de comunicación. Así cada día disfrutarás más de la lectura y la escritura.

20

Tomar decisiones

A medida que creces, aprendes a tomar nuevas decisiones. Al elegir lo que quieres hacer o decir, te haces responsable de los resultados o consecuencias de tus actos.

Por ejemplo, ¿te has dado cuenta de que a veces niños y niñas de tercero y otros grados usan un lenguaje inadecuado, y ofenden a otros al utilizar expresiones que lastiman u ofenden?

Piensa con detenimiento qué podría pasar si te decides a plantear esta problemática ante el grupo. Es posible que:

- A nadie le interese;
- te critiquen;
- a los demás también les moleste escuchar lenguaje grosero u ofensivo;
- la mayoría prefiera no meterse en problemas.

Sin embargo, te decides a plantear tu inquietud ante el grupo.

Supongamos que el grupo decide apoyar tu propuesta de eliminar ofensas, convencido de que los beneficia a todos y es una labor que mejorará la convivencia en la escuela, pues va a cuidar la integridad de todos sin presentar riesgo alguno. Entonces:

- Discutan cómo pueden llevar a cabo su decisión;
- analicen distintas alternativas;
- elijan la opción que creen que tiene más posibilidades de tener éxito;
- repartan las tareas y esfuércense por realizarlas.

Si tus compañeros deciden no participar, podrás buscar otra forma de trabajo conjunto y de siempre cuidarte y no ofender a nadie.

Cuido mi salud

Observa las siguientes imágenes y escribe las acciones que deben realizar estos niños para cuidar su salud.

_____

_____

_____

_____

¿Cuál es tu fuente de información?

_____

_____

Higiene personal

Lee el texto "La salud", en la página 16.
Piensa y escribe algunas de las medidas de higiene que
debes seguir para cuidar el buen funcionamiento de tu
cuerpo.

_____

_____

_____

_____

Analiza qué relación tiene cuidarte con tus derechos:

_____

_____

_____

Investiga: ¿cuál es el servicio médico más cercano a tu domicilio?

Nombre de la institución que brinda el servicio:

_____

Dirección _____

Teléfono: _____

¿Da servicio a todo el público? _____

¿Qué servicios especiales se brindan a las niñas y los niños?

_____

_____

¿Por qué es importante que existan estos servicios de salud en tu localidad?

_____

_____

_____

Protegiendo nuestro cuerpo

Andar en bicicleta, patineta o patines requiere de un equipo de protección personal y mucha práctica. Además de los deportes, también hay oficios y profesiones en los que se necesita un equipo especial para proteger el cuerpo.

Lee los siguientes enunciados y une cada uno con el equipo de protección que corresponda a cada actividad. Anota en la línea la parte del cuerpo que se protege.

Hacer experimentos en laboratorio	casco _____ _____
Eliminar caries o extraer un diente de un paciente	bata y anteojos protectores _____ _____
Andar en patineta	tapabocas y guantes _____
Jugar futbol americano	espinilleras _____ _____
Jugar futbol soccer	rodilleras, coderas y casco _____ _____

Discute con tus compañeros y profesor qué podría suceder si las personas que realizan actividades como las de los enunciados anteriores no protegen su cuerpo.

La prudencia

Lee las fábulas "El chivo y el coyote" y "La ranas" en las páginas 18 y 19.
¿Cuál es el mensaje que te dan estas fábulas?

_____

_____

_____

Identifica dos o tres lugares o cosas que representan un riesgo para ti.

_____

_____

_____

Ahora imagina una conversación entre las ranas, el chivo y el coyote en la que mencionen circunstancias de riesgo.
Escribe aquí su conversación.

_____

_____

_____

_____

_____

Autoevaluación

¿Cómo voy?

Escoge una respuesta y colorea la hoja

Siempre **S**   Casi siempre **CS**   Casi nunca **CN**   Nunca **N**

En la escuela, con mis maestros y mis compañeros

Evito burlarme de los rasgos físicos de mis compañeros, como su color de piel o estatura.

S   CS   CN   N

Protejo mi integridad física en lugares de riesgo como escaleras o patios.

S   CS   CN   N

Identifico dónde puedo ejercer derechos como salud, seguridad y recreación.

S   CS   CN   N

Identifico conductas que van en contra del bienestar de las niñas y los niños como el maltrato y el abandono.

S   CS   CN   N

Integro a niñas y niñas con alguna discapacidad a mis juegos y estudios escolares.

S   CS   CN   N

En mi casa, en la calle y otros lugares

Cuido mi alimentación, mi aseo personal y tomo medicamentos recetados por un médico cuando los requiero.

S   CS   CN   N

Protejo mi integridad en mi casa y tengo precaución al ir por la calle y al jugar.

S   CS   CN   N

Doy apoyo a soluciones para que disfruten de sus derechos niñas y niños en situación de calle, de abandono o desatención a discapacidades.

S   CS   CN   N

Comunico los síntomas o malestares que pueden indicar alguna enfermedad.

S   CS   CN   N

Me intereso por conocer museos, monumentos y fiestas típicas del lugar donde vivo.

S   CS   CN   N

¿En qué puedo mejorar? _____

_____

_____

Aprendo a expresar emociones, establecer metas y cumplir acuerdos

Con el aprendizaje y la práctica podrás:

- Distinguir entre varias maneras de expresar sentimientos y emociones, y elegir aquellas que evitan la violencia.
- Reconocer que tienes necesidades parecidas, diferentes u opuestas a las de los demás, por lo que debes aprender a conciliar y llegar a acuerdos justos.
- Aprender lo que es la libertad, planear proyectos y ponerte metas para cumplirlas.

Platiquemos

Son muchos los cambios que ocurren en la vida de las personas a medida que crecen y se desarrollan. Los niños como tú se comportan con mayor independencia y cuidado.

Parte de tu crecimiento y desarrollo es distinguir tus emociones y las situaciones en que se presentan. Como cualquier persona puedes sentir dolor, tristeza, miedo, alegría, sorpresa, dudas o certeza. Es importante que aprendas a distinguirlas y expresarlas correctamente.

Manejar una emoción no quiere decir no sentirla o esconderla, sino tratar de entenderla y expresarla adecuadamente. Si, por ejemplo, un compañero o una compañera te arrebatan un libro o algo tuyo es probable que sientas sorpresa y enojo, pero no por eso vas a ofenderlo o a golpearlo. Lo mejor no es gritar ni pegar, sino usar las palabras adecuadas para pedir que se te devuelva, y hacer notar que no estás de acuerdo con que se tome lo tuyo sin tu consentimiento. De ser necesario, pide apoyo de tus maestros.

Acueducto de Querétaro, Querétaro, litografía de principios del siglo XX

Durante la Colonia se construyeron obras públicas que facilitaron la comunicación y la vida colectiva.

Es importante expresar tus sentimientos para que los demás te entiendan. Tal vez en algún momento te puedas sentir triste porque en tu casa o en tu escuela no te incluyan en alguna actividad que te interesa. Lo mejor es expresarlo, sin berrinches ni malos modos, de manera que se considere la posibilidad de incluirte, dado tu interés.

Para que estés siempre en aptitud de expresar lo que quieres, lo que te gusta, lo que necesitas, es útil pensar en ti, en tus metas y en los apoyos que requieres para alcanzarlas. Por ejemplo, si quieres leer mejor, expresa tu deseo a tus maestros y a tu familia, de modo que pongan a tu alcance libros bonitos y entretenidos para practicar la lectura y mejorar tu desempeño en la escuela.

Pensar qué quieres y cómo lograrlo, y definir cómo y cuándo lo llevarás a cabo, es lo que se llama ponerse una meta. Tal vez desees comenzar a tocar la flauta, cantar en el coro o tener el honor de participar en la escolta de la ceremonia cívica de tu escuela. Entonces deberás meditar qué acciones realizar y qué ayuda requieres.

Acueducto de los Remedios, cerca de la Ciudad de México

Los acueductos llevaban agua desde los manantiales hasta las principales ciudades para que sus habitantes pudieran cubrir sus necesidades básicas.

Tu esfuerzo favorecerá, en gran medida, que la meta se cumpla. Ten confianza en que, con el conocimiento, la práctica y el empeño, realizarás las metas que te propongas. Tienes a las personas mayores para orientarte y darte ayuda. Puedes empezar por metas pequeñitas, como mantener ordenado tu cuarto o sacar las mejores calificaciones durante todo el año.

La amistad y el compañerismo te ayudan a cumplir tus metas. Si logras comunicar a tus amigos sentimientos, ideas y metas, contarás con su ayuda. Esto es así porque dos ingredientes muy importantes de la amistad y del compañerismo son la reciprocidad y la solidaridad.

Las amistades que se hacen en la escuela son fuente de alegría y apoyo. Tal vez te viene a la mente el recuerdo de algún momento en el cual recibiste comprensión y ayuda de tus amigos. No desperdicies ninguna oportunidad de ayudar, de invitar a jugar y a estudiar, de respetar y apreciar a tus compañeras y compañeros. Esta actitud hará un ambiente favorable para el aprendizaje, la inclusión y el bienestar.

**Acueducto de
Morelia, Michoacán**

**Acueducto de Zacatecas,
Zacatecas**

La amistad y el compañerismo no significan que se deba pensar de idéntica manera o querer lo mismo. Cada persona es diferente, y aunque los niños y las niñas de tu edad tengan necesidades semejantes, cada uno puede tener distintas formas de pensar y diversos modos de hacer las cosas. Por ello, y para preservar y fortalecer los sentimientos de unión en tu clase, aprende a escuchar, a tratar de imaginar cómo ve y siente la persona que te parece distinta.

Hay maneras sencillas de prevenir los problemas de la convivencia, así como hacer que sea pacífica y productiva. Una es la cortesía; la otra, cumplir con tu palabra.

El secreto de la cortesía es tratar a todas las personas como seres valiosos que deben ser tomados en cuenta. Al contrario, las groserías, los malos tratos, las burlas, las faltas de respeto de cualquier tipo, hacen sentir mal a las personas y las aleja de quien las trata así. La cortesía se puede practicar siempre.

Acueducto de Rincón de Romos, Aguascalientes

Acueducto de Querétaro, Querétaro

Las palabras tienen peso. Al dar nuestra palabra, establecemos acuerdos que nos comprometemos a cumplir. Todos debemos cuidar el valor de la propia palabra, porque hablando se entiende la gente, y si los demás no pueden confiar en nuestra palabra, ya no podrán confiar en nosotros. Sin confianza se dificulta la convivencia.

La justicia y la libertad son requisitos para que se desarrollen las personas. Dar a cada quien lo que le corresponde conforme a derecho, y elegir entre distintas maneras de hacer el bien, son dos condiciones que favorecen el desarrollo de las personas. En nuestras relaciones con los compañeros y amigos hay que ejercer la justicia y la libertad.

Los seres humanos nacemos libres en el sentido de no estar obligados a seguir una actividad única, o un destino, como las abejas que están

Fuente del Salto del Agua, Ciudad de México

Puente sobre el Canal de la Viga, Ciudad de México

Las personas llevaban el agua a sus casas en cántaros o toneles.

destinadas a fabricar miel; ni podemos ser tratados como un objeto para ser vendido o intercambiado como esclavo. Este tipo de libertad la tenemos desde que nacemos. Sin embargo, somos libres también en otro sentido: elegir entre muchas alternativas la manera de conducir nuestras vidas.

El ejercicio de esta libertad requiere práctica, conocimientos y experiencia. A tu edad seguramente tu familia decide por ti en muchos asuntos. Pero hay circunstancias donde tú ya decides. Por ejemplo, con quién jugar. Date cuenta que durante toda la vida tendrás que tomar decisiones. Por ahora puedes ser capaz de elegir aquello que no te haga daño ni perjudique a nadie, por esto es importante que tengas la orientación y el cariño de tus padres y maestros, quienes te ayudarán para que tomes las decisiones más adecuadas para ti.

Camino a la ciudad de Guadalajara, Jalisco

Para comunicar el territorio y facilitar el comercio se construyeron caminos, puertos y puentes.

Para alcanzar metas individuales y sociales, el trabajo es esencial.

El labriego y sus hijos

Un labriego que estaba para morirse, viendo que no tenía posesiones ni riqueza que dejar a sus hijos, quiso que en lugar de éstas tuvieran como consuelo la práctica y perfecto conocimiento de la agricultura; los llamó, por tanto, y les dijo:

"Hijos míos, ya veis cómo estoy; todo lo que pude en vida lo he repartido entre vosotros, pero todo ello tendréis que buscarlo en nuestro viñedo." Apenas les hubo indicado esto el viejo, cuando murió. Los hijos creyeron que había enterrado su oro en la viña: tomaron de inmediato sus azadones, empezaron a remover la tierra de la viña; no vieron nada de oro, pero la viña quedó bien trabajada y labrada.

Esta fábula nos enseña que el gran trabajo y el mucho cuidado se convierten en verdad en riqueza.

Fábulas de Esopo en idioma mexicano

La hormiga y la paloma

Una hormiga sedienta bajaba a la fuente, iba desfalleciendo y cayó al agua, y cuando una ola ya se la llevaba y la quería ahogar, una paloma que estaba por ahí sobre un árbol cuando vio que la hormiga ya se quería ahogar quebró una ramita y la tiró al agua; al verla la hormiga, se puso en cuclillas sobre ella y así salió del agua.

No mucho después apareció un pajarero, que al ver la paloma sobre el árbol, empezó a alistar sus cañas para cazarla; cuando la hormiga vio que estaba aquélla a punto de caer, mordió en un pie al pajarero; éste se espantó y dejó ahí las cañas; al ver la paloma cómo caían y se rompían se espantó, levantó el vuelo y se puso a salvo.

Esta fábula nos enseña cómo hemos de ser agradecidos con quienes nos favorecen, y devolverles el favor que recibimos de ellos.

Fábulas de Esopo en idioma mexicano

El trabajo

El trabajo es una actividad humana que mediante el esfuerzo físico o intelectual contribuye a la creación de satisfactores, tales como servicios (agua, transporte, luz), obras (carreteras, calles), o productos que consumimos (alimentos, artículos de aseo).

El trabajo siempre viene acompañado del pago de un salario, acorde con la importancia del mismo y el esfuerzo realizado.

Secretaría del Trabajo y Previsión Social

El sentido del ahorro

El ahorro es un ejercicio de autorregulación. Al practicarlo pones límite a tu manera de usar las cosas, evitas el desperdicio y previenes carencias. El ahorro es, también, un modo de cuidar el salario de quienes te protegen y quieren.

Cuidar los recursos es un hábito que se desarrolla poco a poco. Ahorrar es no desperdiciar, no malgastar; cuidar los bienes de tu casa, de tu localidad y de tu país. Siempre que ahorras, tomas en cuenta a los demás, su historia, su trabajo, sus necesidades y su futuro.

Los soldadores

Aunque no lo veas, es necesario que valores el trabajo que, con libertad y apego a la ley, realizan muchas personas, contribuyendo así al desarrollo de la sociedad. Por ejemplo, los soldadores son trabajadores de la industria de la construcción. Su trabajo consiste en unir dos o más piezas metálicas, generalmente de acero, usando, por ejemplo, electricidad. Al fundirlas, convierten esas piezas metálicas en una sola.

Sin su trabajo no podrían existir los edificios altos, los puentes, las torres y plataformas petroleras, ni las fábricas con sus máquinas y equipos. Tampoco los ferrocarriles, los barcos, los aviones, los automóviles y las bicicletas.

El trabajo de los soldadores se puede desarrollar en una fábrica, en un taller, o en una construcción. También a gran altura, e incluso bajo el agua. En México tenemos muchos ejemplos de construcciones en las que puede apreciarse el trabajo de los soldadores.

¿Qué otro trabajo "invisible" puedes descubrir a tu alrededor?

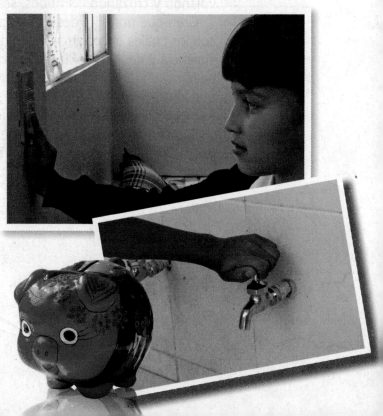

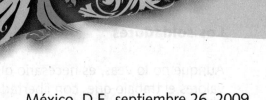

México, D.F., septiembre 26, 2009

Amigos, niños:
Hoy he decidido tomar el lápiz y el papel, como cuando tenía la edad de ustedes. Como cuando tenía sus ilusiones, sus juegos y sus fantasías.

Quiero comunicarles que deseo muchísimo tener un intercambio de ideas. Primero, porque quiero que sepan que respeto a los niños y sus derechos, porque significan el conocimiento que los adultos debemos poseer al mirar el futuro. Quiero decir que los niños son los herederos de virtudes o defectos, triunfos o fracasos, educación o ignorancia que les legamos los mayores.

Decidí escribirles hoy, porque estuve paseando por las calles del Centro Histórico, donde se encuentra el museo que lleva mi nombre; lugar cercano a donde viví de niño. Eché de menos muchos recuerdos que aún tengo en la memoria, de cuando tenía 7, 8 o 9 años.

Miré las calles. Y algo me sorprendió.

La memoria fotográfica, tan fuertemente desarrollada en mí, a fuerza de observar el mundo que me rodea para dibujarlo o pintarlo, se dio cuenta de que ya no hay niños jugando en las calles, como antaño… me percato que ya no hay juegos de canicas, de trompo, de yo – yos… de papalotes que vuelan… ni pajaritos que predicen la suerte… apenas hay algún cilindrero con su nostálgica música que nos deja añoranzas de amores, de cariños, de ternura hacia esta Ciudad de México.

Y vuela mi pensamiento a mi madre que pintaba marinas y yo, muy niño, conocía en sus dibujos el mar, el cielo y *la libertad*, por los pájaros que volando y cruzando las nubes, se perdían…

Creo que por ello, desde siempre, tengo hoja de papel y lápiz en mano, con los cuales encuentro la felicidad al dibujar o pintar; alejándome de la violencia y de la ociosidad que por lo regular conllevan a las compañías peligrosas… a la corrupción y al vicio, que son las peores cadenas con las que al ser humano se le priva de sus más preciados dones: razonar, amar y expresar sus emociones y sentimientos libremente.

Somos humanos, los seres que, por el pensamiento y el origen espiritual que dicen que tenemos, vivimos en el planeta llamado *Tierra*; al que hay que preservar con todos los valores que sólo nuestra especie posee: la paz, las artes, el respeto, la convivencia y la justicia.

Para los que leyeron esta carta espero que el destino les depare una vida de éxitos y felicidad.

Su amigo

José Luis Cuevas

Artista plástico

"Jugando canicas"

Cuevas
José Luis y
Beatriz del Carmen

José Luis Cuevas,
*Jugando canicas, José Luis y
Beatriz del Carmen,*
sin fecha, lápices de colores
sobre papel,
37 x 30.5 cm

José Luis Cuevas,
Yo de niño jugando yo-yo, 2008,
lápiz y pastel sobre papel,
34.5 x 28.5 cm

Cuevas
08
Yo de niño
jugando yo-yo

El poder de la palabra

Hola, niño o niña:

¿Me recuerdas? Soy Marco Tulio, tu profesor DEL ARTE DE HABLAR PARA CONVENCER.

El año pasado aprendiste algunas formas para hacerte oír por personas distraídas, o enojadas contigo porque hiciste algo que no les gustó, o porque creían que los habías molestado, tuvieran o no ellos razón.

No siempre es necesario luchar contra esos sentimientos adversos: muchas veces el motivo de la plática es superior a cualquier problema personal, y por sí mismo interesa a todos, y todos quieren escuchar lo que cualquiera tenga que decir al respecto.

Por ejemplo, se rompió un vidrio en la escuela, y la maestra, o maestro, se lo quiere cobrar a Juanito. A nadie le gusta que le cobren un vidrio roto, aun cuando en realidad él lo haya roto. ¿Tú quieres defenderlo? Muy bien.

Defender a un compañero

En primer lugar recuerda que debes hablar con la verdad. Para ello, tienes que investigar qué fue lo que ocurrió.

Si Juanito rompió el vidro a propósito, tendrá que reponerlo.

Si fue por accidente, estará libre de culpa; todos los que estaban jugando tendrán que hacerse responsables de la reparación. Cuando las cosas se hacen en equipo, éste es responsable de lo que ahí ocurra. Todos disfrutan, todos asumen su responsabilidad. La escuela es un equipo.

40

Ahora bien, no puedes negar el hecho, porque ahí está el vidrio roto. Tampoco puedes decir que Juanito no lo rompió, porque hay testigos que vieron cuando él lo rompió. Hasta aquí, el discurso ante la maestra, o maestro, sería así:

Maestra: ciertamente Juanito rompió el vidrio, pero él no tiene por qué reponerlo, pues no es culpable.

Para probar que no es culpable, habrá que razonar entonces otras circunstancias.

El vidrio lo rompió durante el recreo, mientras jugaba a los tazos con otros compañeros. Jugar a los tazos no está prohibido. Los juegos expresamente prohibidos durante el recreo en esta escuela son el futbol, para no lastimar a los transeúntes y precisamente para no romper vidrios. Si los tazos fueran peligrosos, sin duda la directora los habría prohibido. Cabe pensar también que si en efecto los tazos no son peligrosos, puesto que así lo consideraron las personas mayores, entonces el vidrio probablemente ya estaba estrellado, o tal vez mal colocado, o era de tan mala calidad que incluso un inofensivo tazo lo rompió. Entonces el discurso podría continuar así:

¡Algo grave ocurre aquí! Como es imposible romper un vidrio con un tazo, o entonces el vidrio ya tenía algún defecto y nadie se había dado cuenta de eso, o estaba tan mal colocado que bastó ese pequeño golpe para hacer que se cayera. Pero como no es conveniente que nos quedemos sin vidrio, Juanito está de acuerdo en colaborar, junto con sus compañeros que estaban jugando, y con la escuela, para que se reponga el vidrio.

Así, siendo valiente y haciendo que se respete la verdad, demuestras que Juanito es inocente, pero también responsable en su comunidad escolar.

¿Cómo expresas tus emociones?

Inventa el final de esta historia.

Miguel, Rubén y Rocío son amigos desde primer año y siempre se han prestado sus juguetes. Jugando con Rocío, Miguel rompió un muñeco de Rubén. Cuando Rubén se enteró…

_____

_____

_____

De acuerdo con este final, describe las emociones de cada uno de los amigos.

Rocío _____

Rubén _____

Miguel _____

Comenta con tus compañeros el final que cada uno le dio a la historia y los sentimientos de cada personaje.

¿En cuál de los finales presentados se expresaron los sentimientos de mejor manera?

_____

_____

Yo comunico a los demás mis sentimientos:

- Con miedo ◯
- Con violencia ◯
- Con seguridad ◯

- Con tranquilidad ◯
- No los expreso ◯

Comenta con tus compañeros, reflexiona y completa la siguiente frase:

"Puedo expresar mis sentimientos y exigir mis derechos sin ofender a nadie si...

_____

_____

_____"

Dibuja el juguete de Miguel.

Ser agradecidos

Lee con atención la fábula "La hormiga y la paloma" y responde.

¿Alguna vez has estado en el lugar de la hormiga o de la paloma?

_____

¿Cómo te sentiste?

_____

_____

¿Cómo agradeces a tu familia todo lo que hacen por ti? Escribe un poema o haz un dibujo para expresar tus sentimientos.

Enseña este ejercicio a tu familia, anota cómo te sentiste al hacerlo, y pregúntales cómo se sintieron al verlo o leerlo.

Yo me sentí _____

_____

Mi familia se sintió _____

_____

Mis metas

Lee los siguientes enunciados. Marca con una palomita ✔ aquellos aspectos que describen tu conducta.

- No encuentro mis útiles porque mi mochila está desordenada.

- Me tardo en vestirme para ir a la escuela porque en mi recámara las cosas están fuera de su lugar.

- Cuando no me compran lo que quiero, hago berrinche.

- Como alimentos de bajo valor nutritivo todos los días.

- Cuando pierdo en los juegos, me enojo y me peleo con mis amigos.

¿Marcaste más de uno? _____

Elige alguno y establece metas para mejorar.

Anótalas en el cuadro siguiente:

Mi meta es mejorar en:
_____
Para lograrla voy a:
_____
_____

Cada semana revisa tus logros y proponte nuevas metas.

Alegría

Imagínate una máscara que exprese alegría.

Decora tu máscara con los colores, diseños y materiales que en conjunto te den idea de entusiasmo y alegría.

Inventa un personaje que lleve esa máscara, y ponle nombre. Ahora escribe una historia de ese personaje.

_____

_____

_____

_____

_____

_____

_____

Autoevaluación

¿Cómo voy?

Escoge una respuesta y colorea la hoja

Siempre **S**   Casi siempre **CS**   Casi nunca **CN**   Nunca **N**

En la escuela, con mis maestros y mis compañeros

Expreso mis sentimientos y emociones mediante palabras, gestos, dibujos, cantos, etcétera.

S   **CS**   **CN**   **N**

Expongo con seguridad y respeto mis dudas y comentarios en clase.

S   **CS**   **CN**   **N**

Me pongo metas para mejorar mi desempeño en algo.

S   **CS**   **CN**   **N**

Reconozco que cuando alguien no cumple los acuerdos tomados en el grupo se perjudica la colectividad.

S   **CS**   **CN**   **N**

Participo en discusiones sobre las ventajas y desventajas de distintas soluciones para problemáticas colectivas.

S   **CS**   **CN**   **N**

En mi casa, en la calle y otros lugares

Muestro paciencia y comprensión cuando mis deseos no son cumplidos de inmediato.

S   **CS** **CN** **N**

Soy tolerante con las ideas de los demás y acepto que no siempre mi opinión prevalezca sobre las otras.

S   **CS** **CN** **N**

Expreso mis emociones y sentimientos, pero evito ser violento cuando algo me disgusta.

S   **CS** **CN** **N**

Identifico y analizo diversas alternativas de solución para los problemas que se me presentan.

S   **CS** **CN** **N**

Planeo cómo llevar a cabo una meta familiar y cumplo las acciones que elijo.

S   **CS** **CN** **N**

¿En qué puedo mejorar? _____
_____
_____

Cuidado del ambiente y aprecio por nuestra diversidad cultural

Con el aprendizaje y la práctica podrás:

• Reconocer que eres parte de un país con gran diversidad y riqueza cultural.

• Saber cómo cuidar el ambiente en colaboración con los demás.

• Actuar en contra de la injusticia y la discriminación.

Platiquemos

La tierra en que nacemos, crecemos y nos desarrollamos es hermosa a nuestros ojos porque es nuestra, nos pertenece. Su clima, vegetación y las especies animales que lo habitan le dan colorido y variedad. Formamos parte de ese lugar del mismo modo que de nuestro país, su historia, costumbres y tradiciones.

Las personas son imprescindibles para mantener y conservar el sitio donde vives. Tus bisabuelos, abuelos y padres, así como los de tus compañeros, han transformado y cuidado el lugar donde vives para que sea tu herencia y patrimonio. La palabra patrimonio, significa lo que viene de los padres.

El lugar en donde vives, su historia y tradiciones constituyen el patrimonio que te pertenece y del que tú eres parte. En ese sentido, patria es lo más nuestro. Hay que amarla y cuidarla.

Tu lugar en México tiene nombre e historia. Puede ser una ranchería, un pueblo, un barrio, una colonia o una ciudad; en cualquier caso, es tuyo.

Pitahaya, fruta originaria de México y otros países centroamericanos

Piña, fruta originaria de Brasil

En la Colonia se dieron a conocer a todo el mundo las plantas originarias de tierras americanas como la piña, la pitahaya y el nopal.

Su forma de vida social y su ecología explican buena parte de tu manera de ser.

En el país tenemos diferentes tradiciones y costumbres: canciones, bodas, nacimientos, fiestas civiles y religiosas. También se hablan en el país diversas lenguas. Por eso decimos que tenemos diversidad lingüística y cultural.

Cada localidad tiene sus propias características, pero sus habitantes comparten bienes que son de todos. Por ejemplo, caminos, carreteras, calles, servicio de agua, drenaje y la electricidad son servicios que a todos conviene cuidar, pues se trata de bienes comunes que facilitan la vida diaria y la hacen mejor.

El lugar donde vivimos nos ofrece patrimonio, identidad y pertenencia. Es un bien común y, por ello, todos debemos colaborar para que vivamos mejor, más cómodamente y con mayor seguridad.

Nopal, planta representativa de México

En el siglo XVI Gonzalo Fernández de Oviedo y Valdés registró el uso que los grupos prehispánicos le daban al nopal como alimento y medicina. México tiene más de 100 especies de esta cactácea.

Los miembros de una localidad estamos todos igualmente obligados —en consideración con la edad y condición de cada individuo— a proteger siempre el patrimonio que nos da identidad y pertenencia, a cuidar y enriquecer los bienes que nuestros padres y abuelos nos enseñaron a amar.

Tener tradiciones y saber preservarlas es bueno. También llega a ser necesario cambiarlas. Las costumbres y tradiciones se han construido a través del tiempo, en la vida de muchas generaciones. Entonces, puede ocurrir que lo que fuera útil y facilitara la vida hace cien o doscientos años, hoy ya no lo sea.

Para que las tradiciones puedan preservarse y sobrevivir son necesarios algunos cambios. Por ejemplo, sigue viva la costumbre de comer ciertos platillos de preparación laboriosa, como el mole. Pero hoy tenemos instrumentos de cocina que facilitan la preparación en menor tiempo y que antes no existían.

Cada generación recoge y realiza una tradición o costumbre según sus posibilidades y su forma de vida. Lo importante es practicar lo más valioso, lo que da origen a las tradiciones y costumbres: estar juntos y saber vivir unos con otros.

¿Conoces estas plantas?

Una tradición o costumbre puede y debe cambiar cuando impide o pone en peligro la salud, la libertad o el trato justo, respetuoso e igualitario hacia algunos de los miembros de la sociedad. Estos cambios hacen posible que perdure la vida social armónica, y progrese éticamente la sociedad.

Puede ser costumbre, por ejemplo, vender a las niñas para el matrimonio, o que los niños abandonen la escuela para trabajar; sin embargo, tales usos deben cambiar, pues se afectan los derechos básicos de las personas.

Las sociedades y las personas pueden mejorar cuando sus costumbres son más democráticas y la educación está extendida, pues se reconocen y respetan los derechos de las personas. La formación ciudadana ayuda a mejorar nuestros modos de vida y al progreso de las sociedades.

Es importante identificar cuando, por tradición o costumbre, se aplican tratos injustos y poco igualitarios, por los cuales alguna persona pueda ser discriminada o maltratada. Ese trato debe cambiar.

¿Cuántas variedades de chile y tomate conoces?

Una fuente frecuente de discriminación es pensar con estereotipos, que son modos parciales y distorsionados de ver y valorar a las personas por uno de sus rasgos, como su edad, sexo o nacionalidad.

Al guiarnos por estereotipos, antes de conocer a las personas, o incluso sin conocerlas, creemos saber cómo son y actúan, sin dar oportunidad de expresarse. Es decir, las juzgamos antes de conocerlas, las prejuzgamos. Ése es el origen de lo que se llama prejuicio.

Actuamos con prejuicio, prejuzgamos, por ejemplo, si decimos que hay juegos, como el futbol, que las mujeres no pueden jugar porque son débiles y se ven mal disputando un balón, o que sólo pueden dedicarse a coser o cocinar, actividades que los hombres no deben realizar.

Por el contrario, pensamos y actuamos sin prejuicio; es decir, sin obedecer a estos estereotipos, si entendemos que toda persona puede dedicarse a cualquier actividad, independientemente de ser hombre o mujer, pues la

¿Conoces el origen de estas plantas?

vemos precisamente como persona, con toda su dignidad y sus derechos, y no de manera parcial, como la presenta el estereotipo.

Disminuir prejuicios y estereotipos ayuda a pensar las cosas mejor, y facilita cambiar costumbres, formas de pensar y de actuar que, aunque parezcan naturales, están equivocadas.

Creer, por ejemplo, que podemos utilizar el agua o el aire a nuestro antojo, sin cuidado y sin velar por su preservación, a menudo es resultado de sentirnos dueños de la naturaleza, sin conciencia alguna de que mantenemos una forma de ser, pensar y vivir que debemos cambiar porque nos afecta.

Cuidar la naturaleza, su riqueza y la de nuestra región, y cambiar las formas de vida, tradiciones o costumbres que la dañen, es por el bien de todos.

México y el mar

México es una nación privilegiada, puesto que posee una superficie marítima de 3 149 920 km² (una y media veces la superficie territorial). Sus 11 122 km de extensión costera, islas, arrecifes, lagos, ríos y lagunas, contienen una parte muy importante y digna de cuidar. Es aquí donde la Secretaría de Marina-Armada de México, mejor conocida como Marina, desempeña su labor de día y de noche, salvaguardando la seguridad interior y la defensa exterior del país, ya que de ello depende una parte fundamental de nuestra seguridad y de nuestra economía.

La Marina-Armada de México

La Marina nació como institución del Estado en 1821, como parte de la Secretaría de Guerra y Marina. Dentro de los sucesos históricos de esta institución destacan éstos: el 23 de noviembre de 1825, una escuadrilla de buques mexicanos, compuesta por la fragata Libertad, los bergantines Bravo y Victoria, y las balandras Chalco, Orizaba, Papaloapan y Tampico, se enfrentó a los navíos españoles que aún se mantenían frente al Castillo de San Juan de Ulúa, Veracruz; los hizo retornar a Cuba, consolidando así la independencia de México; y el hecho heroico que se suscitó el 21 de abril de 1914, cuando el cadete Virgilio Uribe y el teniente José Azueta, pertenecientes a la Escuela Naval Militar, defendieron con su vida a la nación al enfrentarse a los invasores norteamericanos en el puerto de Veracruz, lo que valió al plantel el reconocimiento de Heroico.

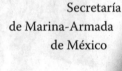

Secretaría de Marina-Armada de México

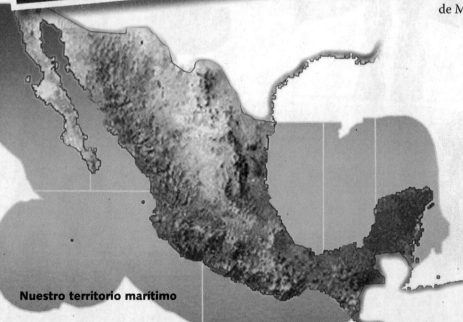

Virgilio Uribe

Nuestro territorio marítimo

El cuidado de nuestro patrimonio territorial

En la actualidad, para realizar su labor de preservar la integridad del territorio nacional y garantizar el estado de derecho en el mar, salvaguardar la vida humana, proteger los recursos marítimos, fluviales y lacustres, así como realizar investigaciones científicas, oceanográficas, meteorológicas y biológicas en esa área, la Marina-Armada cuenta con bases navales en los 17 estados costeros y con personal naval de Infantería de Marina, de aviación naval y marinos de guerra que operan modernos buques, aviones, helicópteros y vehículos terrestres. El sistema educativo naval ofrece formación integral a jóvenes (hombres y mujeres), ya que cuenta con escuelas profesionales, como la Heroica Escuela Naval Militar, la Médico Naval, la de Enfermería y la de Ingenieros de la Armada; y a nivel técnico profesional, las de Mecánica de Aviación, Maquinaria Naval, Electrónica Naval e Intendencia Naval.

La institución y su apoyo a la sociedad

Otras acciones importantes que realiza la Secretaría de Marina son la prevención y el control de la contaminación marítima, y la vigilancia y protección del medio marino. Ante amenazas de fenómenos naturales como huracanes y ciclones tropicales se establece el Plan General de Auxilio a la Población Civil en Casos y Zonas de Emergencia o Desastre. Este plan tiene como objetivo prestar los primeros apoyos de desalojo, proporcionar ayuda médica, trasladar a los heridos, suministrar agua potable y alimentos, transportar personas y material para los damnificados, además de acordonar las zonas afectadas, realizar labores de limpieza de caminos así como reconstrucción de carreteras. También debe salvaguardar la vida humana en el mar, mediante operaciones de búsqueda, localización y auxilio de embarcaciones que se encuentren sin control, sin combustible, averiadas o a punto de naufragar.

Secretaría
de Marina-Armada
de México

El gaviero

¡Qué gallardo, qué ligero,
qué velero
bergantín!
¡Causa envidia, según flota,
a gaviota
y a delfín!

¿Por qué mira con fijeza
y tristeza
la extensión,
desde el mástil, el gaviero,
compañero
del alción?

No recela del celaje,
todo encaje,
todo tul,
ni del golfo tan rendido,
tan dormido
y tan azul.

No se cura de su suerte;
vida o muerte
le es igual,
y desdeña en el esquife
arrecife
y temporal.

Es que allá por el poniente,
esplendente
de arrebol,
se ocultaron, se escondieron,
se perdieron
patria y sol;

y la noche, como un luto
absoluto,
viene al par,
con siniestra y honda calma,
sobre su alma
y sobre el mar.

Pero ¿qué se ha desprendido?
¿Qué ha caído
por babor?
¿Es un leño o un juanete
del trinquete,
del mayor?

¡Qué gallardo, qué ligero,
qué velero
bergantín!
¡Causa envidia, según flota,
a gaviota
y a delfín!

Salvador Díaz Mirón
La República literaria

Dibujo premiado en el concurso "El niño y la mar", convocado por la Secretaría de Marina-Armada de México cada año

El agua dulce

El agua es el elemento más abundante de la Tierra, pero 97.5% es salada, contenida en los mares y los océanos, y sólo 2.5% es dulce. Esta última, en su mayoría, se encuentra en glaciares y capas de hielo, principalmente en Groenlandia y la Antártica. También una porción importante se encuentra atrapada en depósitos subterráneos profundos de difícil acceso y sólo 0.3% de esta agua dulce se encuentra en lugares que podríamos llamar accesibles —como lagos y ríos— para ser utilizada por los seres vivos en sus distintas actividades. Como podrás ver, realmente no tenemos tanta agua útil como podríamos pensar.

Secretaria de Medio Ambiente y Recursos Naturales

La asamblea

¿Cómo tomar decisiones democráticamente? En asamblea, tú y tus compañeras y compañeros, con la ayuda y la supervisión de sus maestros, pueden tratar distintos temas de interés para analizarlos y decidir qué hacer.

La asamblea es una conversación ordenada donde se exponen asuntos de interés general para un grupo o toda una escuela, y se toman decisiones que se presentan a las autoridades educativas.

En una asamblea:

- Todos pueden participar;
- se elige tema, lugar y fecha a partir de las necesidades del grupo, y esta información se da a conocer en una convocatoria;
- la gente se reúne cada cierto tiempo y también pueden convocar reuniones extraordinarias;
- para ordenar la discusión, se debe elegir: presidente, escrutador y secretario;
- se establece un tiempo para las participaciones;
- se hace una lista de expositores para que intervengan en orden;
- quienes hablan respetan su turno;
- se establecen acuerdos y tareas.

Recuerda: en una asamblea deben estar todos los interesados, y se convoca para informar lo que se va a debatir mediante el "orden del día". Para participar debe hablarse con honestidad, veracidad y respeto.

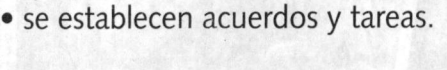

60

Comprensión y reflexión crítica

Seguramente escuchas hablar a los adultos acerca de muchos asuntos que aún no comprendes, pero te gustaría estar informado para así preguntar, platicar y opinar. Por ejemplo, sobre el cambio climático o el cada vez más costoso consumo de energía eléctrica.

Para conocer y comprender un asunto es necesario informarse y reflexionar.

Por ello, conviene que te hagas preguntas y busques respuestas, por ejemplo: ¿Uso bien la energía eléctrica? ¿Cuántas veces al día la uso? ¿Qué puedo hacer para emplearla menos y cuidar el consumo?

Estas preguntas te llevarán a otras, como: ¿cuáles pueden ser las consecuencias del uso irracional de la energía eléctrica en la economía de nuestra familia o de nuestra localidad?, o ¿por qué se dice que existe relación entre el excesivo gasto de energía y el calentamiento de la Tierra?, o más aún, ¿hay relación entre mi consumo de energía eléctrica, el calentamiento global y el cambio climático?

Aunque estas preguntas te parezcan difíciles, tienes acceso a información para contestarlas y entender que tus actos pueden acarrear consecuencias negativas o positivas para el ambiente.

Te darás cuenta de que puedes hacer algo para usar racionalmente la luz y prever las consecuencias de hacerlo así o no. Conocer los hechos y sus consecuencias te ayudará a plantear posibles cambios en tu conducta.

> **Recuerda:** comprender es pensar sobre un problema o asunto para descubrir cómo es, por qué ocurre, cuáles son sus consecuencias e imaginar posibles alternativas y así dar una mejor respuesta.

Para cuidar el ambiente... hoy me propongo ahorrar agua

Piensa cómo puedes ahorrar agua en la casa y en la escuela. Escribe tus propuestas.

Éstas son algunas acciones para cuidar el agua.
Coméntalas con tu familia y anota en la columna
la manera en que se puede ahorrar agua en cada caso.

Actividad   Medidas de ahorro

_____

_____

_____

_____

_____

_____

_____

_____

_____

_____

_____

_____

_____

_____

_____

¿Cuál es tu fuente de información?

_____

_____

El patrimonio

Observa el esquema. Investiga acerca del patrimonio del lugar donde vives, y en tu cuaderno haz un cuadro con la información que obtuviste. Puedes escribir, dibujar o usar recortes de revista.

Cultural

Natural

Tangible

Intangible
- Lenguas
- Costumbres
- Religiones
- Leyendas
- Mitos
- Música

- Reservas de la biosfera
- Monumentos naturales
- Reservas nacionales
- Parques nacionales

Mueble
- Manuscritos
- Documentos
- Artefactos históricos
- Colecciones científicas y naturales
- Grabaciones
- Películas
- Fotografías
- Obras de arte y artesanías

Inmueble
- Monumentos o sitios arqueológicos
- Monumentos o sitios históricos
- Conjuntos arquitectónicos
- Colecciones científicas
- Zonas típicas
- Monumentos públicos
- Monumentos artísticos
- Paisajes culturales
- Centros industriales y obras de ingeniería

64

Compara tus respuestas con las de tus compañeros y escribe aquí algo que no conocías y que llamó tu atención:

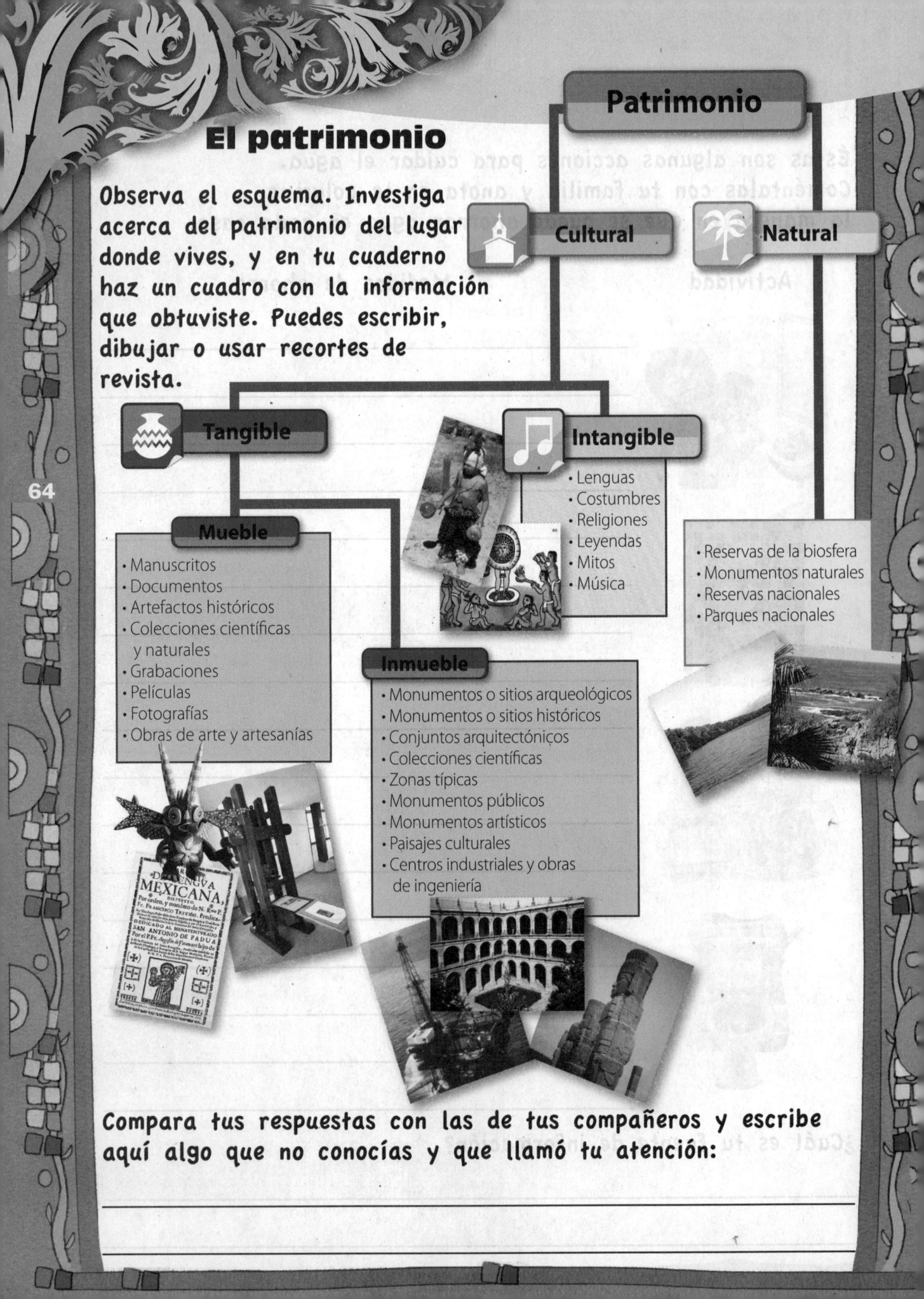

Juntos o separados

Une con una línea las actividades apropiadas
para niños, para niñas, o ambos.

Jugar futbol

Barrer la casa

Ir al cine

Lavar los trastes

Ir a la escuela

Jugar canicas

Jugar con muñecos

Estudiar matemáticas

Usar la computadora

¿Identificaste alguna que sea sólo para niñas o sólo para
niños? Escribe aquí cuál y por qué:

_____

Compara tus respuestas con las de tus compañeras y tus
compañeros. Con la ayuda de tu maestra o maestro, analiza
qué ideas sobre la participación de hombres y mujeres tienen
en tu grupo. Anótalas.

_____

_____

Es importante que toda persona pueda realizar las actividades
que le interesan sin que importe su sexo. ¿Sabes de alguna
persona a la que se le haya negado realizar alguna actividad
por ser hombre o por ser mujer? _____

¿Piensas que es justo? _____ ¿Por qué? _____

_____

Al grupo de 3°C llegó Tere, una alumna nueva. Ella viene de una comunidad donde se habla una lengua diferente a la que se habla en la escuela. Algunos compañeros se burlan, no le hablan y no quieren trabajar con ella.

¿Qué actitudes tienen esos compañeros?
Selecciona y marca las actitudes negativas.

☐ Compañerismo	☐ Egoísmo
☐ Rechazo	☐ Respeto
☐ Tolerancia	☐ Aceptación
☐ Discriminación	☐ Exclusión

66

¿Cómo te comportarías tú con Tere para darle trato justo?

En el salón	En el recreo	En el barrio
_____	_____	_____
_____	_____	_____

¿Qué te puede enseñar Tere que enriquezca tu persona?

_____

Reflexiona. ¿Qué puedes hacer tú para que las niñas y los niños siguientes ejerzan su derecho a la educación en tu escuela?

Un niño ciego
Una niña que no tiene dinero para todos sus útiles escolares
Un niño al que le cuesta trabajo comprender
Una niña que no oye bien
Un niño que usa silla de ruedas

Autoevaluación

¿Cómo voy?

Escoge una respuesta y colorea la hoja

Siempre **S**    Casi siempre **CS**     Casi nunca **CN**     Nunca **N**

En la escuela, con mis maestros y mis compañeros

Comprendo que el dispendio de recursos como el agua, la electricidad y los alimentos, provoca deterioro del ambiente.

Propongo y aplico medidas de participación conjunta para detener el deterioro del ambiente.

Reconozco y aprecio la diversidad cultural entre las personas.

Estoy en contra de que se dé trato injusto a niñas y niños con discapacidad.

Identifico las costumbres y tradiciones de mi entidad federativa y participo en sus celebraciones.

En mi casa, en la calle y otros lugares

Me manifiesto en contra de acciones que se realizan en mi casa o en mi vecindario, y que perjudican el ambiente.

Invito a mi familia a respetar a las personas, independientemente de su sexo, edad y apariencia.

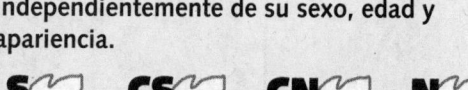

Participo con entusiasmo en las fiestas tradicionales de mi entidad federativa.

Realizo acciones para proteger el ambiente como no desperdiciar el agua y cuidar los árboles.

Evito comprar productos que no necesito y procuro aprovechar al máximo mis útiles escolares.

¿En qué puedo mejorar? _____

_____

_____

Leyes que regulan la vida social y protegen nuestros derechos

68

Con el aprendizaje y la práctica podrás:
• Investigar el uso de normas y leyes en las relaciones entre los habitantes de tu localidad.
• Conocer los derechos de las niñas y los niños.
• Identificar algunas características de la democracia en la vida diaria.

Platiquemos

En una sociedad se establecen normas y leyes para que funcione y ofrezca seguridad y facilidades para satisfacer los intereses y necesidades de los individuos que la integran.

Las normas y las leyes influyen en las relaciones entre las personas, pues señalan lo que cada uno puede o no hacer. Es decir, indican lo que está permitido o prohibido y las consecuencias de no cumplirlas.

Sin leyes es imposible que exista la vida social, pues su función es facilitar y normar los intercambios y las relaciones entre las personas y los grupos a los que éstas pertenecen.

Por las normas y las leyes es posible, por ejemplo, que exista el comercio, y que las monedas y los billetes tengan valor; que los distintos países reconozcan sus fronteras, y sus gobiernos velen por cumplir los derechos de nacionales y de extranjeros; que los padres sepan cuáles son sus obligaciones hacia los hijos; que las escuelas funcionen, y pueda exigirse a maestros y alumnos cumplir sus compromisos, y al gobierno,

Durante la Colonia se desarrolló la minería.

70

sus obligaciones como son educar, ofrecer servicios de salud y brindar seguridad a los ciudadanos. Las normas y las leyes dan orden a nuestra vida diaria.

A lo largo de su historia, cada sociedad define acuerdos, normas y leyes para funcionar. Además, se ha ido construyendo un conjunto de leyes para todos los países del mundo.

Los ordenamientos que regulan nuestra sociedad son también parte del patrimonio que nos da identidad y pertenencia. Al aceptarlos y cumplirlos, aceptamos pertenecer a la sociedad con la que nos identificamos y cuyas formas de convivencia ordenada compartimos.

Las normas y los ordenamientos están presentes en todos los aspectos de la vida. Las actividades que realizamos, como estudiar, jugar, pasear, ayudar en la casa o en el trabajo familiar, están normadas de alguna manera.

Real del Monte, Hidalgo

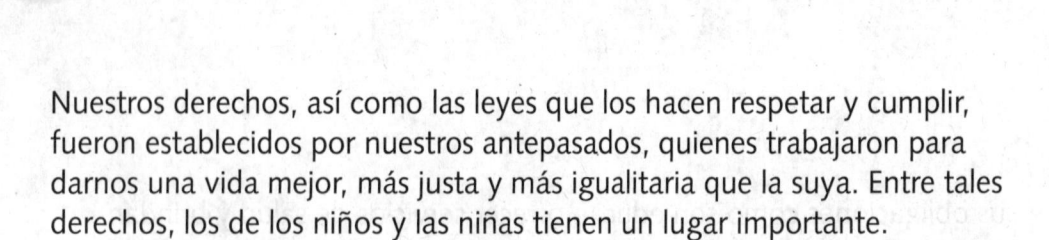

Nuestros derechos, así como las leyes que los hacen respetar y cumplir, fueron establecidos por nuestros antepasados, quienes trabajaron para darnos una vida mejor, más justa y más igualitaria que la suya. Entre tales derechos, los de los niños y las niñas tienen un lugar importante.

Las leyes son parte de nuestra herencia, del patrimonio que nos da sentido de identidad y pertenencia. Por eso debemos entenderlas y conservarlas para las próximas generaciones. Revisa y estudia tus derechos, e investiga cuáles son las instituciones dedicadas a velar por su cumplimiento.

Aunque los integrantes de la sociedad tengan un fuerte sentido de pertenencia a su país, sus intereses pueden no ser los mismos. Pueden tener distintos puntos de vista sobre, por ejemplo, las tradiciones o costumbres que deben permanecer o cambiar; o bien, diferentes modos de vivir.

Las diferencias de necesidades, de intereses o de puntos de vista no tienen por qué impedir la vida en sociedad. Si no se cumplen normas y leyes, ésta será imposible.

Este desarrollo generó riqueza pero también injusticias, como el trabajo infantil.

Ciudadanos y ciudadanas, todos, sin importar su cargo, jerarquía social o económica, deben respetar las leyes, pues, ante éstas, todos somos iguales. Es tarea de la autoridad hacer que se cumplan.

En la sociedad democrática, las personas consideran que respetar las normas y las leyes es importante.

Ese acuerdo no se logra a través de la fuerza, sino del razonamiento colectivo, la discusión y el diálogo, buscando que se tomen en cuenta las necesidades, intereses, costumbres y opiniones de todas las personas.

No siempre las reglas y las leyes hacen coincidir los intereses colectivos con nuestros intereses personales; en esos casos tenemos que resolver según lo indiquen las normas y las leyes, independientemente de conveniencias personales.

Debemos confiar en las leyes, pues en principio son hechas para que sean útiles y benéficas para todos, y de manera central para facilitar y

Cañón de San Cayetano en mina de Guanajuato

Los trabajadores mineros morían jóvenes por accidentes y enfermedades respiratorias.

Durante la Colonia se extraía plata con la que se acuñaban monedas y se elaboraban objetos de uso suntuario.

promover la vida social respetuosa, pacífica, justa, libre e igualitaria. De no ser útiles y benéficas, existen modos que la propia ley señala para cambiarlas.

En las sociedades democráticas, las autoridades que elige el pueblo tienen la función de cumplir y hacer cumplir la ley. La sociedad democrática se constituye por leyes que han sido acordadas por todos y obligan a todos a cumplirlas, incluyendo a la autoridad.

En la democracia nadie es dueño de la ley. La autoridad, como los demás, debe cumplirla. Además, debe hacerla cumplir. Los ciudadanos se someten voluntariamente a la ley y aceptan las consecuencias de su incumplimiento.

La diferencia fundamental entre las formas de gobierno autoritaria y democrática radica en el papel que tienen las autoridades para dictar, cumplir y hacer cumplir las leyes.

Beneficio de la hacienda y mina de Proaño, Zacatecas

En las formas de gobierno autoritarias, los gobernantes dictan las normas y las leyes sin tomar en cuenta las necesidades, los intereses y las opiniones del resto de los integrantes de la sociedad, y sólo vigilan su cumplimiento sin importar si la ley es útil o no para mejorar la vida social y hacerla más justa e igualitaria.

En las formas de gobierno democráticas, las autoridades cumplen y hacen cumplir las leyes discutidas y aprobadas por el pueblo mediante sus representantes, quienes están al servicio de la sociedad para facilitar y promover la vida social justa e igualitaria.

La democracia es una forma de gobierno y una forma de vida. En ella, cada persona se considera igual en dignidad y derechos, apta para participar en las decisiones colectivas.

Más tarde, las injusticias cometidas en minas como Cananea y Río Blanco dieron inicio a la Revolución.

El pajarero y la alondra

Un pajarero colocaba sus lazos y esparcía comida para las aves; parada sobre un árbol, una alondra lo veía, y se admiraba mucho de lo que hacía el pajarero, así que se le acercó y le preguntó, le dijo: "¿Qué haces?" Él le respondió, le dijo que estaba fundando una ciudad, y dejando sus lazos ahí, se fue a esconder a otra parte. La alondra se dijo: "Vamos a ver cómo se construye una ciudad donde vive la gente". Y fue a volar derecho al lazo, y en cuanto hubo caído, se le acercó el pajarero y la agarró, y en el momento de tomarla, le dijo la alondra: "Si así es la ciudad que fundas, no verás pronto muchos ciudadanos".

Esta fábula nos enseña que no es posible vivir en una ciudad donde los gobernantes nada más se burlan de la gente, la roban y la maltratan.

Fábulas de Esopo en idioma mexicano

El quetzal y el perico

Una vez se reunieron todos los pájaros de plumas multicolores para elegir a su rey; cuando ya estaban todos juntos pensando a quién pondrían, se levantó ante ellos el quetzal y reclamó el reino para sí; casi todos acogieron su petición de hacerlo el rey, cuando salió entre ellos el perico y los amonestó diciendo:

"Escuchad, señores nuestros, aves preciosas de Ipalnemohuani; si vosotros lo nombráis, el quetzal aquí presente será rey; pero si algún día el águila nos hiciera la guerra, ¿cuál es la fuerza de éste?, ¿acaso en verdad saldrá a su encuentro? Por eso, según yo veo las cosas, es necesario que pongamos por nuestro rey al águila".

Esta fábula nos enseña que cuando se eligen los gobernantes que han de tener a cargo la ciudad, no hay que ver su buena figura y apariencia sino únicamente su valentía, su prudencia y su instrucción.

Fábulas de Esopo en idioma mexicano

76

¿Qué es la justicia?

Cuando las personas mayores hablan de justicia, se refieren al más valioso anhelo de la humanidad: la libertad, la paz, la igualdad y la verdad. La justicia es un valor, una convicción que nos ayuda a convivir como grupo en sociedad, para ser más plenos y felices, para alcanzar nuestros sueños. En otras palabras, la justicia es el resultado del respeto que cada uno tenga para los demás y para sí mismo.

En el sistema de gobierno que tenemos en México, la justicia se refiere a tres cosas:

1. Que cada persona tenga la seguridad y el respaldo de las leyes y de la autoridad para que sus sueños, sus creencias, sus éxitos, sus logros, sus pertenencias, su familia, su cuerpo y su dignidad sean siempre respetados y protegidos.
2. Que se persiga y se castigue a cualquier persona o autoridad que desobedezca la Constitución Política o las leyes y afecte a cualquier otro en sus sueños, sus creencias, sus éxitos, sus logros, sus pertenencias, su familia, su cuerpo o su dignidad.
3. Que todos esos castigos sean definidos por jueces imparciales y justos, quienes al juzgar y castigar a los delincuentes e infractores no pierdan de vista que también son humanos con derechos que deben respetarse.

La justicia es, entonces, una de las más importantes misiones que tiene todo gobierno.

Suprema Corte de Justicia de la Nación

Los derechos humanos de las niñas y los niños en la vida diaria

Los derechos humanos son aquellos que tienen todas las personas por el simple hecho de serlo, y deben ser iguales para todos.

Los niños, debido a su edad, deben recibir cuidado y protección especiales de parte de sus padres, o de los adultos que los rodean, quienes deben tomar todas las medidas que proporcionen a los niños bienestar físico y mental.

Algunos de los derechos de los niños y las niñas son: no ser discriminados, no ser separados de sus padres, poder expresar su opinión libremente, asistir a la escuela, no ser maltratados, ser atendidos por un médico en caso de enfermedad, libre acceso al juego y a una buena alimentación, entre otros.

Los derechos humanos de los niños deben ser respetados en cualquier lugar, ya sea en la casa por sus padres, en la escuela por sus maestros, o en la calle por los policías.

Los niños y las niñas también tienen el deber de respetar los derechos de todas las personas.

Los niños y las niñas pueden dar aviso en diferentes instituciones, como la Comisión Nacional de los Derechos Humanos, en caso de que alguien no respete sus derechos.

Comisión Nacional de los Derechos Humanos

La minería en México

México no sería lo que es sin su minería. Nuestra historia narra que desde la época prehispánica hay tareas de extracción y aprovechamiento, de construcción de pozos, galerías, de herramientas, así como de tratamiento y preparación para el uso de los metales.

Fue durante la Colonia cuando la minería tuvo su mayor impulso. La plata proveniente de las profundidades de las tierras mexicanas inundó el mundo entero, y se crearon nuevas formas de obtener sus beneficios. Alrededor de las minas surgieron pueblos, villas y formas de vida mineras. En los estados de Hidalgo, Oaxaca, Morelos, Zacatecas, Guanajuato, Coahuila, Chihuahua, entre otros, se tienen cantos y tradiciones que narran estas formas de vida, así como los esfuerzos y dificultades de quienes trabajan en esta actividad que tanta riqueza produce, todavía hoy, para el país.

Instalaciones modernas de una mina de zinc en el estado de Zacatecas, México

Minero mexicano de principios del siglo xx

El oficio de ingeniero geólogo

Así como la sociedad necesita de personas expertas en panadería, plomería, agricultura, secretariado, albañilería, medicina, leyes, etcétera, también requiere de expertos con conocimientos sobre la Tierra. El ingeniero geólogo trabaja con la Tierra, estudiando su origen, el lugar que ocupa en el universo como planeta, su constitución interna así como fenómenos relacionados con ésta, como el vulcanismo y los sismos; asimismo, estudia los procesos externos modeladores del paisaje. La aplicación de este saber permite descubrir minerales de rendimiento económico, encontrar materiales para la construcción de casas y edificios, localizar aguas subterráneas que puedan ser explotadas para consumo humano, descubrir petróleo y gas natural. Proporciona comprensión sobre el origen de los suelos y sobre los cambios climáticos tanto del pasado como del futuro. El ingeniero geólogo además puede participar como experto en los trabajos de ordenamiento del espacio urbano, por ejemplo, para no construir en zonas de riesgo.

¿Qué ocupación te gustaría tener cuando seas persona mayor?

José R. Ortega
Laboratorio de Geofísica,
Instituto Nacional de Antropología e Historia

Minería
Codice florentino, siglo XVI

Texto libre

Todos podemos ser escritores, pues todos tenemos algo que decir y contar. En la escuela puedes practicar una forma de escribir que se llama texto libre.

Se llama así pues escribes lo que tú quieres decir, nadie te lo dicta ni lo copias de algún lado: es un texto únicamente tuyo. Y aunque es libre, tiene reglas, las indispensables para ser claro y correcto.

Tu texto puede ser muy breve. Una vez que esté terminado, debes revisarlo bien para evitar que lleve errores. Puedes pedir ayuda a tu maestro, ya que otras personas pueden ver los errores mejor que el propio autor. Cuando esté revisado y estés satisfecho, si deseas que alguien más lo conozca, muéstralo. No olvides que escribes para ser leído.

Si escribes de manera sistemática; si te esmeras por comunicar bien y bellamente tus ideas y sentimientos; si aprendes y usas palabras nuevas y respetas las reglas de ortografía y gramática, te convertirás, con la práctica, en un buen escritor.

La creatividad te fortalece.

80

> La aventura de Pirata
> La semana pasada
> llevé a Pirata al río.
> Me contaron que
> los perros saben
> nadar, pero a él no
> le gusta el agua y
> se escapó.

Juicio ético

Mediante el razonamiento ético, y con base en sus valores, las personas juzgan y toman decisiones por sí mismas, de acuerdo con lo que consideran adecuado o inadecuado, correcto o incorrecto, justo o injusto.

El desarrollo de tu juicio ético te faculta para reflexionar y juzgar aquellas circunstancias en que se presenten conflictos de valores, como podría haber, por ejemplo, entre los principios de justicia y solidaridad.

Para desarrollar tu razonamiento ético, necesitas considerar ciertos principios básicos como, por ejemplo, no dañar a los demás ni a ti mismo; respetar leyes y acuerdos previos: escuchar las razones de los demás. Estos principios son los valores que hemos ido construyendo como integrantes de una sociedad que quiere ser cada vez más democrática.

Analicemos un ejemplo:

El fin del año escolar se aproxima y quieres hacer un convivio con tus compañeros. Tendrán que decidir qué van a preparar y cómo van a arreglar el salón. Isabel dice que ella no tiene dinero para cooperar porque despidieron a su papá del trabajo. Un grupo de compañeros dice que es injusto que quien no pague disfrute de la fiesta, por lo que deciden que Isabel no vaya.

¿Qué opinas de la decisión de que Isabel no vaya a la fiesta? ¿Cuál es tu opinión? ¿Debe ir o no?

En este caso, además de tus sentimientos por Isabel y la solidaridad con sus problemas, tienes que valorar si la decisión de que asista a la fiesta es justa o injusta. Existe un conflicto de valores y se requiere darle solución razonado éticamente. ¿Cómo se puede dar trato justo a Isabel y a todo el grupo?

Y si no cumplimos las normas...

Piensa y haz una lista de tres normas que se sigan en tu casa, en tu escuela y en tu localidad, y anota las consecuencias para ti y para otros de no cumplirlas.

Normas

_____

_____

_____

Consecuencias para ti

_____

_____

_____

Consecuencias para otros

_____

_____

_____

Normas

_____

_____

_____

Consecuencias para ti

_____

_____

Consecuencias para otros

_____

_____

Normas

_____

_____

_____

Consecuencias para ti	Consecuencias para otros
_____	_____
_____	_____
_____	_____

Comenta con tu grupo: ¿qué pasa cuando no se cumplen normas como las de tránsito?

_____

_____

_____

Completa las frases.

Las normas sirven para _____

_____

_____

Son importantes porque _____

_____

_____

Nuestros derechos

Lee el texto "Los derechos humanos de las niñas y los niños en la vida diaria", en la página 77. Haz una lista de esos derechos, anota qué personas e instituciones colaboran en su realización.

Derecho	¿Qué hace tu familia?	¿Qué hace el gobierno?
Educación		
Atención médica		
Recreación		
No ser maltratado		
No ser discriminado		

¿Tú qué harás para ayudar a que se cumplan estos derechos?

_____

_____

_____

Los gobernantes

Lee la fábula "El quetzal y el perico" y haz un dibujo en el que ilustres el momento en que se elige al gobernante.

¿Qué tomarías en cuenta para elegir al representante de tu grupo?

El gobernante de tu localidad

Con ayuda de tu familia investiga quién es el presidente municipal o delegado del lugar donde vives, y anota la siguiente información:

Vivo en el municipio o delegación política

_____

En la entidad federativa

_____

El nombre del presidente municipal o delegado político es

_____

Sus obligaciones son:

_____

_____

Su gobierno se inició en el año _____ y

termina _____

Pertenece al partido _____

Durante su gobierno ha hecho:

_____

_____

Imagina que eres el presidente municipal o delegado del lugar donde vives. ¿Qué harías por los niños, las niñas y sus derechos? Escribe un texto breve.

Lee en la página 77 el texto "¿Qué es la justicia?" y escribe las ideas más importantes. Ilustra con recortes y dibujos lo que hayas entendido.

Ideas más importantes:

_____

_____

_____

_____

_____

_____

Autoevaluación

¿Cómo voy?

Escoge una respuesta y colorea la hoja

Siempre **S** 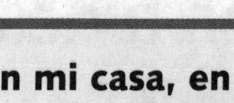 Casi siempre **CS**  Casi nunca **CN**  Nunca **N**

En la escuela, con mis maestros y mis compañeros

Identifico las consecuencias que tiene para mi grupo que yo no cumpla las normas del salón.

S **CS** **CN** **N**

Identifico algunas maneras de proponer cambios a normas del grupo.

S **CS** **CN** **N**

Expongo mis ideas en la asamblea y escucho a los demás.

S **CS** **CN** **N**

Cumplo los acuerdos tomados democráticamente en mi grupo.

S **CS** **CN** **N**

Conozco mis derechos y sé cómo contribuyen otras personas para que se cumplan.

S **CS** **CN** **N**

En mi casa, en la calle y otros lugares

Reconozco las diferencias entre las normas que se aplican en mi casa, en la escuela y en mi localidad.

Participo en las decisiones familiares, exponiendo mis intereses y deseos.

Comprendo que no cumplir las normas afecta a mi familia y a mi propia persona.

      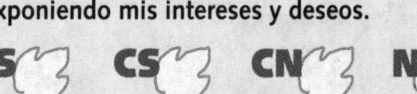 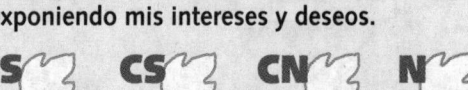 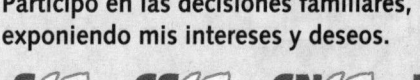 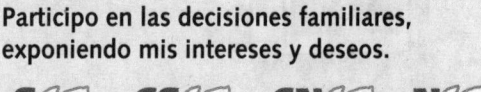 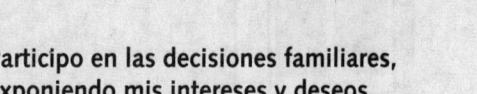

Identifico y nombro circunstancias en que los integrantes de mi localidad pueden ser obligados por la autoridad a cumplir las leyes.

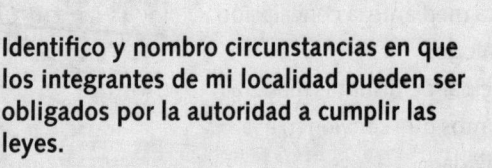    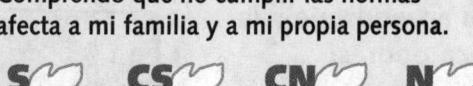 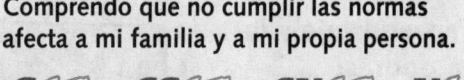 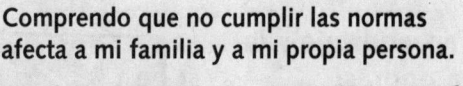 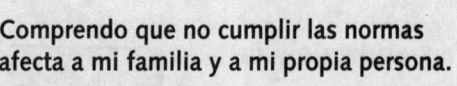 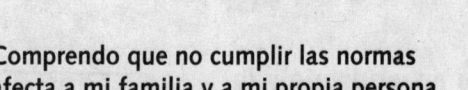

Llevo a cabo acciones para ejercer mis derechos en mi casa y en mi localidad.

     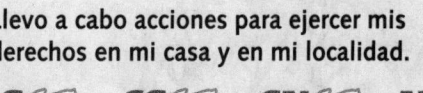 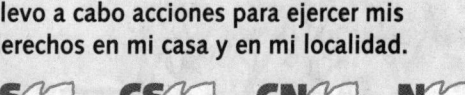      

¿En qué puedo mejorar? _____

_____

_____

Aprendamos a participar y dar solución a desacuerdos

Con el aprendizaje y la práctica podrás:

• Dar solución a desacuerdos por diferencias de interés y puntos de vista mediante la conciliación y el diálogo.

• Participar de distintas maneras en asuntos que convienen a la colectividad.

Platiquemos

El pueblo de México ama la paz. Para mantenerla, cada integrante de la sociedad necesita aprender a ponerse de acuerdo con los demás y a colaborar con otros en las tareas cotidianas que hacen posible la vida social. Tú puedes actuar de tal manera que procures la paz.

En las acciones diarias realizas actos y tomas decisiones que afectan a varias personas. Ellas pueden tener ideas o gustos distintos a los tuyos, y pueden estar inconformes o molestos contigo. Si platican y escucha cada uno las razones o quejas de los otros, se podrán poner de acuerdo.

Piensa en ejemplos de tu vida escolar. Aunque te gusta compartir lo que tienes con tus compañeros, tal vez te moleste que alguien use tus cosas sin pedírtelas o que no las ponga en su lugar después de usarlas. Esto podría hacerte enojar. Pero si platicas con esa persona, y le explicas que

Plaza de las Tres Culturas de Tlatelolco

La educación en la Colonia era diferente para cada una de las distintas razas y grupos que convivían en la Nueva España.

estás muy dispuesto a prestar lo tuyo, pero que te gustaría que lo cuidara, no habrá desavenencias entre ustedes.

No es lo mismo una desavenencia o contrariedad que un conflicto. Se llama conflicto a un combate, a una pugna o pelea. Los desacuerdos y las desavenencias, si se atienden a tiempo, no tienen por qué convertirse en conflictos.

Cuando un conflicto se desarrolla, ya sea por intereses opuestos o por no respetar a las personas y sus derechos, se puede recurrir a una persona que sea imparcial; es decir, que no tenga preferencia por ninguna de las partes del conflicto y que se dedique a conciliarlas. Esta mediación consistirá en lograr que las partes se expresen, se escuchen y tengan como objetivo común encontrar una solución justa a sus diferencias.

Fundado en 1588, el Colegio de San Idelfonso fue una de las instituciones educativas más importantes de la Nueva España.

Para responder a las contrariedades que encuentres en tu escuela o en tu casa, exprésalas; también, reflexiona sobre las causas de lo que te aflige. Tal vez las personas que te rodean no han caído en cuenta de que algo que hacen o dicen te molesta o hiere, o que es contra tus derechos. Expresa tus sentimientos con claridad, sin ofender, pero con seguridad.

La posibilidad de dar solución a desavenencias mediante el diálogo depende no sólo de que tú sepas expresar lo que quieres y lo que sientes, y que conozcas tus derechos, sino también de que escuches a los demás, y que estés con disposición a dar trato justo e igualitario a todas las personas.

Las desavenencias y los desacuerdos surgen de manera natural en la vida diaria y en la participación social. Cada persona tiene necesidades y gustos propios, pero depende de otras personas en muchos aspectos de su vida.

El Colegio de Santa Cruz de Tlatelolco, primera institución educativa de América, fue fundado en 1536 para indios principales.

Por eso es necesario que sepa ponerse de acuerdo con las personas que le rodean y actuar conforme a normas sociales.

ARTE
DE
LA LENGVA
MEXICANA
CON LA DECLARACION DE LOS
ADVERBIOS DELLA.
Al
Illustrifs.º y Reuerendifs.º
Señor Don Iuan de Mañozca Arçobispo de
Mexico, del Consejo de su Magestad, &c.
POR EL PADRE HORACIO CAROCHI
Rector del Colegio de la Compañia de IESVS de San
Pedro, y San Pablo de Mexico.
Año de 1645.
IMPRESSO CON LICENCIA
En MEXICO: Por Iuan Ruyz, Año de 1645.

Cuando no se respetan los derechos de las personas, se les niega trato justo, o no se les escucha, se pone en riesgo la paz. Las respuestas de violencia que puedan tener estas personas no se justifican, pero se comprende su enojo. El enojo, sin embargo, no ayuda a dar solución a lo que está desuniendo y contraponiendo a las personas. La violencia es destructiva.

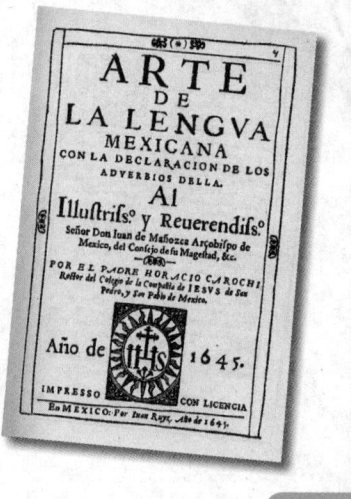

Los golpes y los insultos son violencia, y es necesario evitarlos. Sin renunciar a los derechos y los intereses que tenga cada uno, es imprescindible no maltratar a las personas con quienes se convive. Hay muchas formas de maltrato, entre las que están la discriminación y la burla. También ignorar a las personas y no darles trato cortés son formas de tratarlas mal.

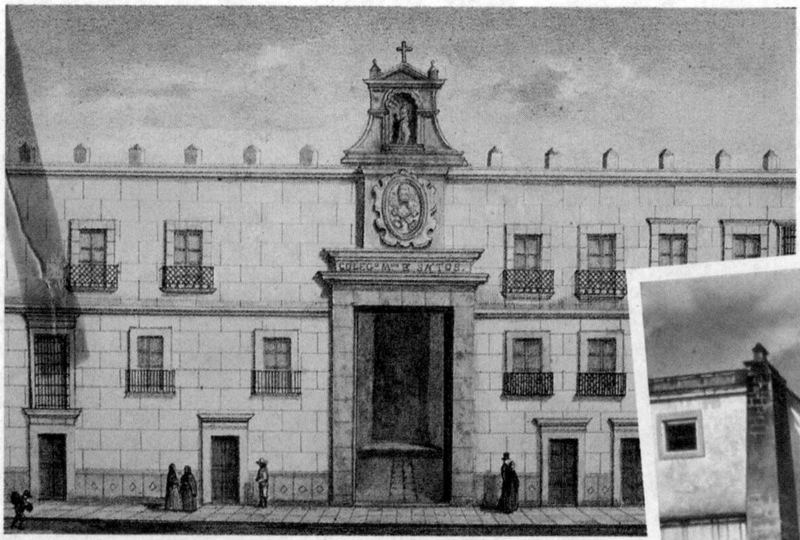

En 1573 se fundó el Colegio Mayor de Santa María de Todos los Santos para criollos.

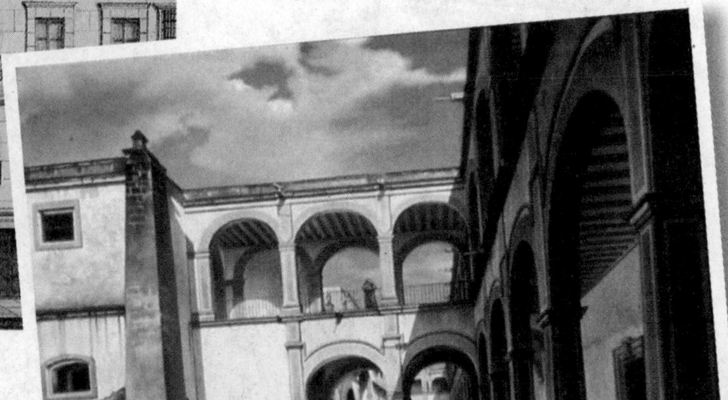

El Colegio para Niñas y Mujeres de San Ignacio, o de las Vizcaínas, fue fundado en 1732. Educaba a hijos de españoles.

A veces se necesita la ayuda de otras personas. Identifica a una persona que te escuche, te guíe y, en caso necesario, ponga remedio a los abusos que cometan contra ti otros niños o personas mayores. Esa persona de confianza también te puede ayudar a estudiar tu conducta para ver qué puedes mejorar en tu trato con los demás. En torno tuyo hay personas que pueden orientarte.

En las sociedades democráticas todas las personas tienen derecho a una vida digna, y esto implica respetarlas y reconocer sus derechos. También implica solidaridad; es decir, que cada uno esté dispuesto a ofrecer su esfuerzo en tareas colectivas y a brindar apoyo a quien lo requiera.

Tú ahora estás en la infancia, y no debes trabajar. Pero sí puedes colaborar en tareas de tu casa y de tu escuela que no pongan en riesgo tu desarrollo

La Real Academia de San Carlos de las Nobles Artes se fundó en 1783. Ahí estudiaban artes plásticas los criollos.

o tu derecho a la educación. También colaboras con la sociedad, el país y con el mundo entero cuando ahorras energía, si cuidas el ambiente y si contribuyes a crear ambientes de respeto y democracia en los grupos en los que participas.

Una de las riquezas de la vida en una sociedad democrática es que personas muy diferentes entre sí pueden vivir, trabajar y desarrollarse en paz. Eso requiere de valores comunes, es decir, de acuerdos básicos de toda la sociedad sobre la importancia del respeto, la libertad, la justicia y la tolerancia para alcanzar y mantener esa paz.

Tú, desde ahora, puedes conocer y practicar esos valores, y participar en la construcción de una vida social cada vez más democrática en nuestro país.

En el Palacio de Minería estudiaban los ingenieros

Juan Rodríguez Puebla fue alumno y rector del Colegio de San Gregorio, fundado para educar a jóvenes indios. Después de la Independencia él trasformó esta escuela en una de las mejores del país, y abrió sus puertas a todos sin distinción de razas.

Lectura y democracia

El escritor Ray Bradbury, autor de la novela de ciencia ficción *Fahrenheit 451*, muestra en esta obra una sociedad donde se prohíbe leer, porque está prohibido pensar. La poesía, por ejemplo, está prohibida porque mueve los sentimientos y puede poner triste a la gente, y es una obligación ser felices. Así, hay familias que son consideradas antisociales porque leen, y por tanto hacen preguntas. Leer hace diferentes a los seres humanos, y esto puede provocar que se pregunten acerca de lo que los rodea, de su vida, su sociedad, sus relaciones, su trabajo, en fin, su existencia.

En algunos países que han caído en fanatismos, muchos libros han sido quemados y sus autores perseguidos, igual que sus lectores. En la época de la Inquisición estaba prohibido leer algo distinto de lo que los inquisidores consideraban adecuado.

Entonces, ¿qué tienen los libros, que son atacados de esta manera? Los libros contienen el conocimiento y la imaginación de un autor, y producen también el encuentro con otros mundos, otras maneras de pensar y de ver las cosas, y nos permiten reconocer la existencia de los demás. Quien lee tiene la posibilidad de reflexionar, comprender el mundo que lo rodea y entenderse como persona.

Sin educación no hay democracia. Además de provocar emociones, gozo y disfrute, los libros apoyan la educación. La historia se conoce a través de los libros, de la lectura. Así podemos entender de dónde venimos, cómo era la vida hace mil años y muchas cosas más. A través de la lectura podemos saber que la lucha por la democracia ha sido difícil, que ha habido guerras, ganadores y perdedores, pero que siempre la imaginación, la reflexión, esa que la lectura nos ayuda a desarrollar, estará presente y nos acompañará por siempre.

Carlos Noriega
Comisión de Educación
Confederación Nacional de Cámaras Industriales

Sobre la tolerancia

La tolerancia no significa guardar silencio o mostrar indiferencia cuando alguien alrededor nuestro dice algo que nos parece equivocado. Es, por el contrario, tener la capacidad de dialogar con esa persona. Voltaire, el gran filósofo francés, decía: "Puedo estar en contra de lo que dices, pero defendería con la vida tu derecho a decirlo". Lo que subyace en esta frase es la convicción, el deseo de construir una sociedad fundada en la tolerancia, en la que todos podamos convivir, no con nuestras diferencias, sino a pesar de ellas.

Isidro H. Cisneros

Oficios de protección civil

¿Te has puesto a pensar en cuántas personas trabajan para cuidar a todos los mexicanos ante diversas situaciones de riesgo para la salud, la integridad física o el entorno?

Es un gran equipo de personal especializado como investigadores, servidores públicos, médicos bomberos, paramédicos, rescatistas y policías.

Secretaría de Gobernación
Dirección General de Protección Civil

Periódico mural

Un periódico mural es la exposición pública de escritos, dibujos, caricaturas, biografías y opiniones acerca de un tema en una pared o muro.

El periódico mural es un proyecto colectivo en el que se presenta, mediante diferentes formas de expresión, un tema que se haya investigado. Es muy útil para dar a conocer hechos y acontecimientos, por ejemplo, las enfermedades infecciosas o las situaciones de riesgo, así como para promover la reflexión y la comunicación.

Un periódico mural tiene periodicidad, es decir, se elabora cada cierto tiempo, ya sea semanalmente o cada quince días, y aparecen en él textos individuales y otros cuyo autor es el grupo.

Para hacer un periódico mural, tu maestra o tu maestro orientarán al grupo para:

- Ponerse de acuerdo en las secciones que presentará: histórica, social, política, ecológica, cómica, y, por supuesto, editorial;
- revisar si en el fichero del grupo se tiene información que pueda ser útil;
- elaborar carteles con información que explique brevemente el tema;
- recopilar o elaborar las imágenes que mejor lo ilustren;
- escribir un texto editorial en que se exprese la opinión del grupo respecto del tema.

Participación y cooperación

Gran parte de nuestras actividades las hacemos con otros, por lo cual es siempre necesario aprender a participar y a cooperar. En la escuela, y en la casa, tu participación, como la de los demás, es muy importante pues te ayuda a desarrollar tu espíritu de servicio, que es el ánimo de ser útil, de ponerse al servicio de una tarea, para que se realice un fin común. Siempre es agradable el trabajo en equipo, y dar lo mejor de nosotros.

Si quieres participar y colaborar con otros en una tarea colectiva:

1. Infórmate bien de qué se trata.
2. Valora si la tarea te interesa o no, y si entiendes las razones por las que tu participación y tu colaboración pueden ser útiles.
3. Asume una de las tareas, tomando en cuenta que en la labor colectiva dependemos unos de otros, por lo que es indispensable cumplir acuerdos y compromisos.
4. Expresa con claridad aquello con que estás o no de acuerdo, y da tus motivos.
5. Disfruta del trabajo colectivo y del hecho de ser capaz de ponerte de acuerdo con otros para alcanzar un objetivo común.
6. Mientras más estudies, más podrás ayudar a quien lo requiera.

Participo en la preparación de un convivio

Contesta las siguientes preguntas.

¿Qué te gusta hacer durante el recreo?

1. _____

2. _____

¿Cuáles son tus cuentos favoritos?

1. _____

2. _____

¿Qué deportes y juegos te gustan?

1. _____

2. _____

La comida que más te gusta es:

1. _____

2. _____

Tus golosinas preferidas son:

1. _____

2. _____

Compara tus respuestas con las de tus compañeros.
Seguramente son distintas.

Supongan que van a preparar un convivio.
A partir de las respuestas registradas por cada uno,
establezcan acuerdos respecto a:

- ¿Qué comida preparar para un convivio del grupo?
- ¿Qué juegos hacer durante el recreo?

¿En qué coincidieron?

_____

_____

¿Cómo se pusieron de acuerdo?

_____

_____

¿Cómo conciliaron las diferencias?

_____

_____

Elige algún desacuerdo que se presente con frecuencia en tu
salón de clases y piensa en posibles soluciones. Comenta con
tu grupo tus ideas.

Desacuerdo

_____

¿Quiénes intervienen?

_____

_____

¿Cómo lo solucionaron?

_____

_____

Busca fotos de tu familia o en revistas en donde identifiques o reconozcas las actitudes que son necesarias para evitar que los desacuerdos se conviertan en conflictos. Y arma un collage con ellas. Guíate con las palabras de abajo.

armonía   solucionar   paz

conflicto   respeto   participación

escuchar   desacuerdo

diálogo   tolerancia   concordia

Escribe un texto breve donde utilices estas palabras.

Observa el inicio de esta historia. Imagina y dibuja cómo se desarrolló y cuál fue el final.

Origen

Proceso

Desenlace

Si en tu historia llegaron a un acuerdo justo, ¿cómo lograron que se tomara una decisión sin pelear?

_____

_____

Elige los valores que fueron importantes para tomar el acuerdo.

☐ Respeto

☐ Tolerancia

☐ Libertad

☐ Igualdad

☐ Justicia

Si en el final de tu historia se llegó a un conflicto, ¿por qué razón ocurrió?
Escoge marcando con una palomita ✔ o escribe otra razón

☐ Se ofendieron

☐ No se escucharon las razones de sus compañeros

Otra razón

_____

A los niños que no se pudieron poner de acuerdo, ¿qué les dirías como consejo? Escríbelo aquí:

_____
_____
_____
_____

Autoevaluación

¿Cómo voy?

Escoge una respuesta y colorea la hoja

Siempre **S**   Casi siempre **CS**   Casi nunca **CN**   Nunca **N**

En la escuela, con mis maestros y mis compañeros

Utilizo el diálogo para establecer acuerdos con compañeros que tienen intereses diferentes o contrarios a los míos.

S   **CS**   **CN**   **N**

Ayudo a que mis compañeros solucionen, mediante el diálogo, las desavenencias que surgen entre ellos.

S   **CS**   **CN**   **N**

Propongo soluciones justas a los desacuerdos de mis compañeros y compañeras.

S   **CS**   **CN**   **N**

Reconozco los motivos que dan origen a los problemas más comunes de mi grupo.

S   **CS**   **CN**   **N**

Valoro las propuestas de otras personas cuando estamos participando en algún trabajo o celebración.

S   **CS**   **CN**   **N**

En mi casa, en la calle y otros lugares

Procuro dar solución a desavenencias con mis familiares y amigos utilizando el diálogo y evitando la violencia.

S   **CS**   **CN**   **N**

Colaboro con propuestas para dar respuesta a necesidades de mi familia y considero todas las ideas que se expresan.

S   **CS**   **CN**   **N**

Solicito ayuda, si la necesito, para dar solución a desacuerdos que surgen en mi familia.

S   **CS**   **CN**   **N**

Puedo expresar lo que pienso sin ofender a personas que piensen de manera distinta a mí.

S   **CS**   **CN**   **N**

Propongo solución a desavenencias con mi familia platicando y argumentando mi punto de vista.

S   **CS**   **CN**   **N**

¿En qué puedo mejorar? _____

_____

_____

Himno Nacional Mexicano

CORO
Mexicanos, al grito de guerra
El acero aprestad y el bridón,
Y retiemble en sus centros la tierra
Al sonoro rugir del cañón.

I
Ciña, ¡oh patria!, tus sienes de oliva
De la paz el arcángel divino,
Que en el cielo tu eterno destino
Por el dedo de Dios se escribió.

Mas si osare un extraño enemigo
Profanar con su planta tu suelo,
Piensa, ¡oh patria querida!, que el cielo
Un soldado en cada hijo te dio.

[CORO]

II
¡Guerra, guerra sin tregua al que intente
De la patria manchar los blasones!
¡Guerra, guerra! Los patrios pendones
En las olas de sangre empapad.

¡Guerra, guerra! En el monte, en el valle
Los cañones horrísonos truenen,
Y los ecos sonoros resuenen
Con las voces de ¡Unión! ¡Libertad!

[CORO]

III
Antes, patria, que inermes tus hijos
Bajo el yugo su cuello dobleguen,
Tus campiñas con sangre se rieguen,
Sobre sangre se estampe su pie.

Y tus templos, palacios y torres
Se derrumben con hórrido estruendo,
Y sus ruinas existan diciendo:
De mil héroes la patria aquí fue.

[CORO]

IV
¡Patria! ¡Patria! Tus hijos te juran
Exhalar en tus aras su aliento,
Si el clarín con su bélico acento
Los convoca a lidiar con valor.

¡Para ti las guirnaldas de oliva!
¡Un recuerdo para ellos de gloria!
¡Un laurel para ti de victoria!
¡Un sepulcro para ellos de honor!

[CORO]
Mexicanos, al grito de guerra
El acero aprestad y el bridón,
Y retiemble en sus centros la Tierra
Al sonoro rugir del cañón

Letra: **Francisco González Bocanegra**
Música: **Jaime Nunó**

Créditos iconográficos

P. 10-11, Hospital de Jesús, escalera y patio interior, fot. José Guadalupe. **P. 12,** fachada del Museo Franz Mayer (antes Hospital de San Juan de Dios), fot. Rita Robles Valencia; **P. 13,** antiguo Hospital de San Juan de Dios. **P. 14,** Exvoto de la Virgen de los Dolores y San Sebastián, 1761, Cholula, Puebla de los Ángeles, Nueva España, óleo sobre tela, 55.5 x 78.2 x 3 cm, colección Museo Franz Mayer. **P. 15,** (izq.) Hospital de San Hipólito en Manuel Rivera Cambas, *México pintoresco artístico y monumental: vistas, descripciones, anécdotas y episodios de los lugares más notables de la capital y de los estados...,* de (1840-1917), Biblioteca de Arte Ricardo Pérez Escamilla; (der.) Hospital de San Hipólito, fot. Rita Robles Valencia. **P. 16,** (izq.) niño con aparato de optometría, fot. Martín Córdoba Salinas, archivo iconográfico DGME-SEP; (der.) niño tomando leche, fot. Nacho López, Comisión Nacional para el Desarrollo de los Pueblos Indígenas. **P. 17,** (izq.) niños con cubre boca, ©Latinstock; (centro) campaña de vacunación en Zongolica, Veracruz, ©Latinstock; (der.) niño lavándose las manos, ©Latinstock. **P. 18,** *El chivo y el coyote,* de Artemio Rodríguez, en *Fábulas de Esopo,* Patronato Universitario, UNAM. **P. 19,** (arr.) *El coyote y el puma,* de Artemio Rodríguez, en *Fábulas de Esopo,* Patronato Universitario, UNAM; (ab.) *La rana,* de Artemio Rodríguez, en *Fábulas de Esopo,* Patronato Universitario, UNAM. **P. 20,** (arr.) fot. Paola Stephens Díaz; (centro) fot. Heriberto Rodríguez, Coordinación General de Educación Intercultural y Bilingüe; (ab.) escuela Rafael Ramírez, Ayotzinapa, Puebla, fot. Heriberto Rodríguez, Coordinación General de Educación Intercultural y Bilingüe. **P. 25** fot. Jordi Farré, archivo iconográfico DGME-SEP. **P. 30,** acueducto de Querétaro, Querétaro, archivo iconográfico DGME-SEP. **P. 31,** acueducto de los Remedios, Estado de México, ©Latinstock. **P. 32,** (arr.) *Alegoría de la Nueva España* (detalle), anónimo, Biombo, óleo sobre tela, siglo XVIII, Banco Nacional de México; (izq.) acueducto de Morelia, Michoacán, en Manuel Rivera Cambas, *México pintoresco artístico y monumental: vistas, descripciones, anécdotas y episodios de los lugares más notables de la capital y de los estados...,* de (1840-1917), Biblioteca de Arte Ricardo Pérez Escamilla; (der.) vista de Zacatecas, Centro de Estudios de Historia de México Carso. **P. 33,** (izq.) acueducto de Rincón de Romos, Aguascalientes fot. Juan Gerardo Ruiz Hellion, archivo iconográfico DGME-SEP; (der.) acueducto de Querétaro, Querétaro, fot. Fernando Aguilar. **P. 34,** (arr.) *Alegoría de la Nueva España* (detalle), anónimo, biombo, óleo sobre tela, siglo XVIII, Banco Nacional de México; (izq.) *Salto del Agua,* de Casimiro Castro, litografía, Biblioteca de Arte Ricardo Pérez Escamilla; (der.) *El Canal de la Viga* (detalle), anónimo, biombo, óleo sobre tela, siglo XVIII, Banco Nacional de México. **P. 35,** ciudad de Guadalajara, Centro de Estudios de Historia de México Carso. **P. 36,** (arr.) *El labriego y sus hijos,* de Artemio Rodríguez, en *Fábulas de Esopo,* Patronato Universitario, UNAM; (ab.) *La hormiga y la paloma,* de Artemio Rodríguez, en *Fábulas de Esopo,* Patronato Universitario, UNAM. **P. 37,** (izq.) archivo iconográfico DGME-SEP; (der. arr.) fot. Rita Robles Valencia; (der.-centro) fot. Rita Robles Valencia; (der. ab.) fot. Baruch Loredo Santos. **P. 38,** Texto y firma de José Luis Cuevas, Museo José Luis Cuevas. **P. 39,** (arr.) *Jugando canicas, José Luis y Beatriz del Carmen,* de José Luis Cuevas, s/f, lápices de colores sobre papel, 37 x 30.5 cm, Museo José Luis Cuevas; (ab.) *Yo de niño jugando yo-yo,* de José Luis Cuevas, 2008, lápiz y pastel sobre papel, 34.5 x 28.5 cm, Museo José Luis Cuevas. **P. 50,** (izq.) pitahaya y (der.) piña, Sagarpa. **P. 51,** nopales, Sagarpa. **P. 52,** (izq.) maíz y (der.) mamey, archivo iconográfico DGME-SEP. **P. 53,** (izq.) chile y (der.) jitomate, archivo iconográfico DGME-SEP. **P. 54,** (izq.) cacao, fot. Bob Schalkwijk, archivo iconográfico DGME-SEP; (der.) aguacate, archivo iconográfico DGME-SEP. **P. 55,** (izq.) frijoles y (der.) guayaba, archivo iconográfico DGME-SEP **P. 56-58,** Secretaría de Marina-Armada de México. **P. 59,** (arr.) la Tierra vista desde el espacio, NASA; (centro) lagunas de Montebello, Chiapas, fot. Paola Stephens Díaz; (ab.) cascadas, San Luis Potosí, fot. Salatiel Barragán Santos. **P. 60,** Encuentro Intercultural Infantil, Pátzcuaro, Michoacán, fot. Heriberto Rodríguez, Coordinación General de Educación Intercultural y Bilingüe. **P. 64,** (centro) niño danzante yaqui; dios Tonatiuh, fot. Marco Antonio Pacheco, Conaculta-INAH-MEX*; (ab. izq.) alebrije, fot. Juan Antonio García Trejo; imprenta Juan Pablos, siglo XVI, fot. Heriberto Rodríguez, Museo de las Artes Gráficas; *Arte de Lengua Mexicana,* 1673, fot. Jordi Farré; (centro ab.) Plataforma petrolera; interior del Antiguo Colegio de San Ildefonso, fot. Baruch Loredo Santos, Patronato Universitario; atlantes, Tula, Hidalgo, fot. Guillermo A. Tapia García, Conaculta-INAH-MEX*; (der. centro) laguna de Términos, Comisión Nacional de Áreas Naturales Protegidas; Playa de Huatulco, fot. Paola Stephens Díaz. **P. 70,** bocamina de la Valenciana, Guanajuato, fot. Fernando Robles. **P. 71,** Real del Monte, Hidalgo, archivo iconográfico DGME-SEP. **P. 72,** (izq.) mural del Palacio de Gobierno de Aguascalientes (fragmento) archivo iconográfico DGME-SEP; (centro) moneda conmemorativa de la Batalla del Monte de las Cruces, Veracruz, 1810; (der.) plata colonial, fot. Baruch Loredo Santos, Conaculta-INAH-MEX*. **P. 73,** (izq.) mina de Rayas, cañón de San Cayetano, Guanajuato, 1840, Centro de Estudios de Historia de México Carso; (der.) cáliz de plata, fot. Baruch Loredo Santos, Conaculta-INAH-MEX*. **P. 74,** Hostiario, principios del siglo XVII, Nueva España, plata fundida, forjada y cincelada, 10 x 11 cm, colección Museo Franz Mayer. **P. 74-75** Hacienda de Beneficio, mina de Proaño, Zacatecas, Museo Nacional de Historia, Conaculta-INAH-MEX*. **P. 76**, (der.) *El pajarero y la alondra*, de Artemio Rodríguez, en *Fábulas de Esopo*, Patronato Universitario, UNAM; (izq.) *El quetzal y el perico*, de Artemio Rodríguez, en *Fábulas de Esopo*, Patronato Universitario, UNAM. **P. 78**, (izq.) mineros, fot. David Maawad, Artes de México y del Mundo; (der.) mina mexicana, ©Latinstock. **P. 79**, *Códice florentino*, siglo XVI, Conaculta-INAH-MEX*. **P. 80**, foro Huazamota, Durango, fot. Heriberto Rodríguez, Coordinación General de Educación Intercultural y Bilingüe. **P. 92**, Plaza de las Tres Culturas, Tlatelolco, fot. Baruch Loredo Santos. **P. 93**, (izq.) fachada y patio principal del Antiguo Colegio de San Ildefonso, fot. Raúl Barajas Velazco, archivo iconográfico DGME-SEP. **P. 94**, (izq.) *Vocabulario manual de las lenguas castellana y mexicana* de Pedro Arenas, colección particular; (der.) patio del Colegio de la Santa Cruz de Tlatelolco. **P. 95**, (arr.) *Arte de la lengua mexicana con la declaración de los adverbios della* de Mañozca, colección particular; (ab. izq.) *Colegio Mayor de Santa María de Todos los Santos*, litografía, 1883, Museo Nacional de Historia, Conaculta-INAH-MEX*. (ab. der.) *Patio del Colegio de las Vizcaínas*, óleo, 1874, Fomento Cultural Banamex. **P. 96**, (izq.) *Arte de la lengua mexicana*, 1547, Andrés de Olmos; (der.) interior de la Academia de San Carlos, ©CND. Sinafo-Fototeca Nacional del INAH. **P. 97**, (arr.) maqueta de imprenta Juan Pablos, colección Valentina Cantón; (ab. izq.) Escuela de Minas, en Manuel Rivera Cambas, *México pintoresco artístico y monumental: vistas, descripciones, anécdotas y episodios de los lugares más notables de la capital y de los estados…*, de (1840-1917), Biblioteca de Arte Ricardo Pérez Escamilla; (ab. der.) Juan Rodríguez Puebla, colección José Guadalupe. **P. 98**, (izq.) fot. Jordi Farré, archivo iconográfico DGME-SEP; (der.) fot. Heriberto Rodríguez, Coordinación General de Educación Intercultural y Bilingüe. **P. 99**, (arr.) fot. Paola Stephens Díaz; (centro) bomberos, Baja California, fot. Bob Schalkwijk, archivo iconográfico DGME-SEP; (ab. izq.) fot. Heriberto Rodríguez, Coordinación General de Educación Intercultural y Bilingüe; (ab. der.) bombero, fot. Bob Schalkwijk, archivo iconográfico DGME-SEP. **P. 100**, niña con periódico mural, fot. Juan Antonio García Trejo.

*Reproducción autorizada por el Instituto Nacional de Antropología e Historia

Formación Cívica y Ética. Tercer grado
se imprimió por encargo de la
Comisión Nacional de Libros de Texto Gratuitos,
en los talleres de Offset Multicolor, S.A. de C.V.,
con domicilio en Calzada de la Viga No. 1332,
Col. El Triunfo, C.P. 09430, México, D.F.,
en el mes de febrero de 2011,
el tiraje fue de 3'024,550 ejemplares.

Impreso en papel reciclado

¿Qué piensas de tu libro?

Tu opinión es muy importante para nosotros. Te invitamos a que nos digas lo que piensas de tu libro de Formación Cívica y Ética, tercer grado. Lee las preguntas y elige la respuesta que mejor exprese tus ideas.

FORMACIÓN CÍVICA Y ÉTICA 3 GRADO

	Sí	No
1. ¿Qué secciones te gustan de tu libro?		
Platiquemos	☐	☐
Para aprender más	☐	☐
Para hacer	☐	☐
Ejercicios	☐	☐
Imágenes	☐	☐
Autoevaluación	☐	☐

	Siempre	Casi Siempre	A veces	Nunca
2. ¿Los textos te sirvieron para conocer y reflexionar acerca de los valores éticos y cívicos?	☐	☐	☐	☐
3. ¿Las imágenes te permitieron obtener información adicional y nuevas ideas?	☐	☐	☐	☐
4. ¿Te resultó difícil comprender la información de los textos?	☐	☐	☐	☐

	Interesantes	Poco interesantes	Nada interesantes
5. ¿Cómo consideras los temas tratados en estas secciones?			
Lecturas	☐	☐	☐
Ejercicios	☐	☐	☐
Imágenes	☐	☐	☐

6. ¿Qué lograste aprender con tus lecturas, actividades e imágenes?

_____

_____

7. Si fueras el autor o la autora del libro, ¿qué le agregarías?

_____

8. Si fueras el autor o la autora del libro, ¿qué le quitarías?

Gracias por tus respuestas.

Dirección General de Materiales Educativos
Dirección General de Desarrollo Curricular
Viaducto Río de la Piedad 507,
Granjas México, 8400, Iztacalco, México, D.F.

Dobla aquí

- -

Si deseas recibir una respuesta, anota tus datos.

Nombre: _____

Domicilio: _____ | _____ | _____
              Calle   Número   Colonia

              _____ | _____ | _____
              Entidad   Municipio o Delegación   C.P.

Dobla aquí

- -

Pega aquí

_____

_____

_____

_____

_____

_____

_____